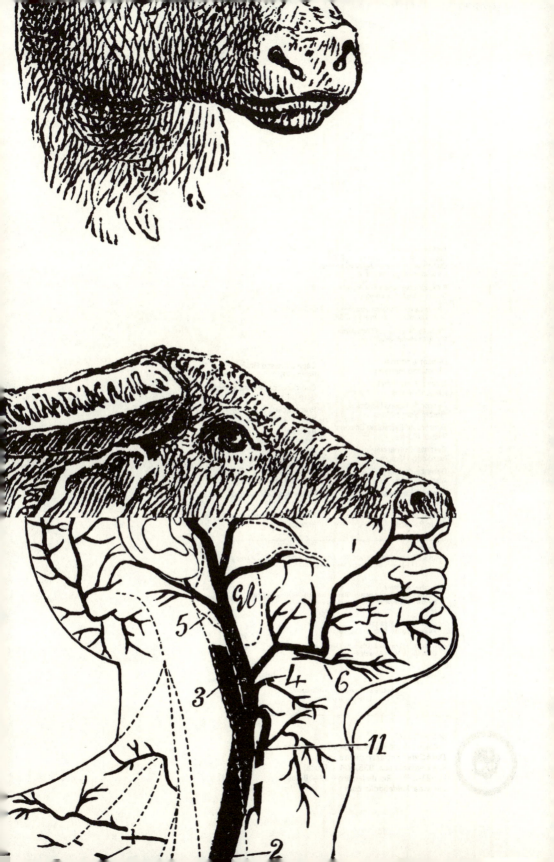

CADÁVER EXQUISITO
Copyright © Agustina Bazterrica, 2017
c/o Schavelzon Graham Agencia Literaria
www.schavelzongraham.com

Publicado originalmente na Argentina em 2017
Todos os direitos reservados.

Arte da Capa © Penguin Random House Grupo Editorial S.A.
Acervo de imagens © Dream e 123rf.

Tradução para a Língua Portuguesa
© Ayelén Medail, 2022

Diretor Editorial
Christiano Menezes

Diretor Comercial
Chico de Assis

Diretor de Novos Negócios
Marcel Souto Maior

Diretora de Estratégia Editorial
Raquel Moritz

Gerente Comercial
Fernando Madeira

Gerente de Marca
Arthur Moraes

Gerente Editorial
Bruno Dorigatti

Editor
Paulo Raviere

Capa e Projeto Gráfico
Retina 78

Coordenador de Diagramação
Sergio Chaves

Preparação
Silvia Massimini Félix

Revisão
Fabiano Calixto
Lielson Zeni
Retina Conteúdo

Finalização
Sandro Tagliamento

Marketing Estratégico
Ag. Mandíbula

Impressão e Acabamento
Braspor

DADOS INTERNACIONAIS DE CATALOGAÇÃO NA PUBLICAÇÃO (CIP)
Jéssica de Oliveira Molinari CRB-8/9852

Bazterrica, Agustina
  Saboroso cadáver / Agustina Bazterrica ; tradução de Ayelén
Medail. — Rio de Janeiro : DarkSide Books, 2022.
  192 p.

  ISBN: 978-65-5598-188-9
  Título original: Cadáver Exquisito

  1. Ficção argentina 2. Distopia 3. Antropofagia – Ficção
I. Título II. Medail, Ayelén

22-1984   CDD Ar863

Índice para catálogo sistemático:
1. Ficção argentina

[2022, 2024]
Todos os direitos desta edição reservados à
DarkSide® Entretenimento LTDA.
Rua General Roca, 935/504 — Tijuca
20521-071 — Rio de Janeiro — RJ — Brasil
www.darksidebooks.com

AGUSTINA BAZTERRICA

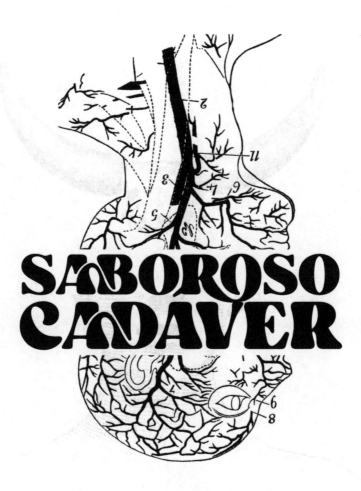

SABOROSO CADAVER

TRADUÇÃO
AYELÉN MEDAIL

DARKSIDE

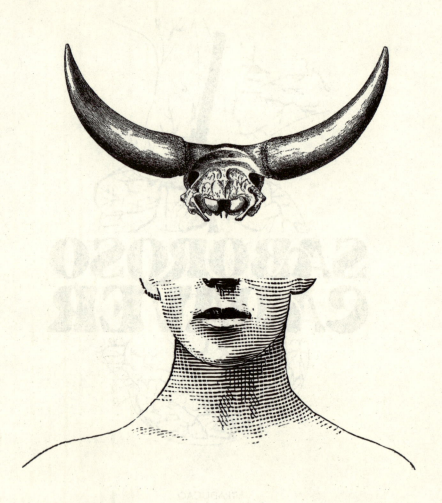

Para meu irmão,
Gonzalo Bazterrica

*O que se vê nunca coincide
com o que se diz.*
GILLES DELEUZE

*Me acaban el cerebro a mordiscos,
bebiendo el jugo de mi corazón
y me cuentan cuentos al ir a dormir.*

[Acabam com meu cérebro a mordidas,
bebendo o suco de meu coração
e me contam histórias antes de dormir.]

PATRICIO REY Y SUS REDONDITOS DE RICOTA

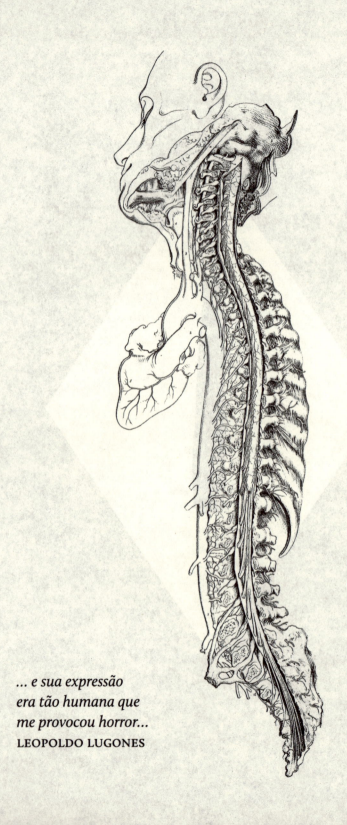

... e sua expressão era tão humana que me provocou horror...
LEOPOLDO LUGONES

AGUSTINA **SABOROSO CADAVER** BAZTERRICA

1

Meia rês. Marreteiro. Linha de abate. Banho de aspersão. As palavras aparecem em sua cabeça e o golpeiam. Destroçam-no. Mas não são apenas palavras. São o sangue, o cheiro denso, a automatização, o não pensar. Irrompem durante a noite, quando ele está desprevenido. Acorda com o corpo coberto de suor, pois sabe que o espera outro dia de abate de humanos.

Ninguém os chama assim, pensa, enquanto acende um cigarro. Ele não os chama assim quando tem de explicar a um novo funcionário como funciona o ciclo da carne. Poderiam prendê-lo por falar isso, poderiam inclusive enviá-lo ao Matadouro Municipal e industrializá-lo. Assassiná-lo seria a palavra exata, embora não permitida. Enquanto tira a camiseta embebida de suor, tenta afastar a ideia persistente de que são isto, humanos, criados para ser animais comestíveis. Abre a geladeira, serve-se de água gelada, toma-a devagar. Seu cérebro o adverte que há palavras que encobrem o mundo.

Há palavras que são convenientes, higiênicas. Legais.

Abre a janela, o calor é sufocante. Permanece fumando enquanto respira o ar quieto da noite. Quando se tratava de bois e porcos, a coisa era fácil. Um ofício que aprendera no frigorífico El Ciprés, o frigorífico de seu pai, sua herança. Sim, o grito de um porco sendo derrubado podia petrificar, mas eles usavam protetores de ouvido e, logo, aquilo se tornava apenas um ruído. Agora que ele é o braço direito do chefe, tem de controlar e preparar os novos funcionários. Ensinar a matar é pior do que matar. Põe a cabeça para fora da janela. Respira um ar abafado, que arde.

Ele gostaria de se anestesiar e viver sem sentir nada. Agir de forma automática, olhar, respirar e nada mais. Ver tudo, saber e não dizer. Mas as lembranças permanecem, continuam com ele.

Muitos naturalizaram aquilo que a mídia insiste em chamar de "Transição". Mas ele não, porque sabe que transição é uma palavra que não evidencia como o processo foi curto e cruel. Uma palavra que resume e cataloga um fato incomensurável. Uma palavra vazia. Mudança, transformação, virada: sinônimos que parecem ter o mesmo significado, mas a escolha de cada um deles fala de uma maneira singular de ver o mundo. Todos naturalizaram o canibalismo, pensa. Canibalismo, outra palavra que poderia trazer problemas enormes para ele.

Lembra-se de quando anunciaram a existência da GGB. A histeria massiva, os suicídios, o medo. Depois da GGB, tornou-se impossível continuar comendo animais, porque eles contraíram um vírus mortal para os humanos. Esse era o discurso oficial. Palavras com peso suficiente para nos moldar, para suprimir qualquer tipo de questionamento, pensa.

Anda pela casa descalço. Depois da GGB, o mundo mudou definitivamente. Testaram-se vacinas, antídotos, mas o vírus resistiu e mutou. Ele se lembra de artigos falando sobre a vingança dos veganos, outros sobre atos de violência contra os animais, médicos na televisão explicando o que fazer para substituir a falta de proteínas, jornalistas confirmando que ainda não existia a cura para o vírus animal. Suspira e acende outro cigarro.

Está só. Sua mulher foi para a casa da mãe. Já não sente saudades dela, mas na casa há um vazio que não o deixa dormir, que o inquieta. Pega um livro na biblioteca. Está sem sono. Acende a luz e se prepara para ler, mas logo a apaga. Toca a cicatriz em sua mão. É antiga, não dói mais. Foi um porco. Ele era muito jovem, um principiante, e acreditava que não era necessário respeitar a carne, até que a carne o mordeu e quase arrancou sua mão. O encarregado e os outros não paravam de rir. Você foi batizado, diziam-lhe. O pai dele não disse nada. Depois dessa mordida, pararam de vê-lo como o filho do dono e ele se enturmou. Contudo, nem essa turma, nem o frigorífico El Ciprés existem mais, pensa.

Pega o celular. Há três ligações perdidas de sua sogra. Nenhuma de sua mulher.

Decide tomar banho porque não suporta o calor. Abre o chuveiro e enfia a cabeça na água fria. Quer apagar as imagens distantes, as lembranças que persistem. Aquele monte de gatos e cachorros queimados vivos. Um arranhão significava a morte. O cheiro de carne queimada durou semanas. Lembra-se dos grupos de escafandros amarelos que percorriam os bairros toda noite para matar e queimar qualquer animal que cruzasse pelo caminho.

A água fria cai em suas costas. Ele se senta no chão do box. Nega com a cabeça lentamente, mas não consegue parar de lembrar. Houve grupos que começaram a matar e a comer pessoas de forma clandestina. A imprensa registrou o caso de dois bolivianos desempregados que foram atacados, esquartejados e assados por um grupo de vizinhos. Quando ele leu essa notícia, sentiu calafrios. Foi o primeiro escândalo público, também o que instalou na sociedade a ideia de que, apesar de tudo, carne é carne, não importa de onde venha.

Ergue a cabeça para que a água molhe seu rosto. Queria que as gotas lhe dessem um branco no cérebro. Mas sabe que as lembranças estão ali, sempre. Em alguns países, os imigrantes começaram a desaparecer em massa. Imigrantes, marginais, pobres. Foram perseguidos e, talvez, sacrificados. A legalização foi levada adiante quando os governos foram pressionados por uma indústria bilionária que estava parada. Os frigoríficos e as regulamentações foram adaptados. Pouco tempo depois, começaram a ser criados como gado de corte para abastecer a demanda massiva de carne.

Sai do chuveiro e se seca de modo superficial. Olha-se no espelho, está com olheiras. Ele é partidário de uma teoria da qual se tentou falar, mas aqueles que falaram em público foram silenciados. O zoologista de maior prestígio, que dizia em seus artigos que o vírus era uma invenção, sofreu um acidente bastante oportuno. Ele acredita que é tudo uma encenação para reduzir a superpopulação. Desde que se lembra, fala-se em escassez de recursos. Recorda-se dos distúrbios em países como a China, onde as pessoas se matavam por conta da superlotação, mas nenhum meio de comunicação abordava a notícia desse ponto de vista. Quem lhe falava que o mundo iria explodir era seu pai: "O planeta vai pelos ares a qualquer momento. Você vai ver, filho, arrebenta ou todo mundo vai morrer feito praga. Olhe como na China já começaram a se matar por conta da quantidade de gente, já não cabem. E aqui, aqui ainda há lugar, mas vamos ficar sem água, sem alimento, sem ar. Tudo indo para o inferno". Ele olhava para seu pai com certa pena porque pensava que ele dizia coisas de velho, mas agora sabe que o pai estava certo.

O expurgo trouxera outros benefícios atrelados: redução da população, da pobreza, e oferta de carne. Os preços eram altos, mas o mercado crescia em um ritmo acelerado. Houve protestos massivos, greves de fome, reivindicações de organizações de direitos humanos e, ao mesmo tempo, surgiram artigos, pesquisas e notícias que afetaram a opinião pública. Universidades prestigiosas afirmaram que a proteína animal era necessária para viver, os médicos confirmaram que as proteínas vegetais não possuíam todos os aminoácidos essenciais, os especialistas asseguraram que as emissões de gases tinham diminuído, mas a desnutrição havia aumentado, as revistas falaram sobre o lado obscuro dos vegetais. Os focos de protestos foram se debilitando e continuavam surgindo casos de pessoas que a imprensa dizia que tinham morrido pelo vírus animal.

O calor continua sufocando-o. Anda nu até a varanda de sua casa. O ar não circula. Deita-se na rede e tenta dormir. Lembra-se com frequência da mesma publicidade. Uma bela mulher, vestindo roupas conservadoras, serve o jantar para seus três filhos e o marido. Olha para a câmera e diz: "Para minha família, eu dou alimento especial, a carne de sempre, só que mais gostosa". Todos sorriem e comem. O governo, seu governo, decidiu ressignificar esse produto. A carne humana era agora "carne especial". Deixou de ser apenas "carne" para ser "lombo especial", "costela especial", "rim especial".

Ele não chama isso de carne especial. Ele usa palavras técnicas para se referir a isso que é um humano, mas nunca chegará a ser uma pessoa, isso que é sempre um produto. Faz alusão ao número de cabeças para industrializar, ao lote que espera na área de descarga, à linha de abate que deve respeitar um ritmo constante e ordenado, aos excrementos que devem ser vendidos para fazer estrume, à área de triparia. Ninguém pode chamá-los de humanos porque significaria dar a eles entidade, chamam-nos de produto, ou carne, ou alimento. Exceto ele, que gostaria de não ter de chamá-los por nome algum.

AGUSTINA **SABOROSO CADAVER** BAZTERRICA

2

O caminho para o curtume sempre lhe parece longo. É uma estrada de terra, reta, com quilômetros e quilômetros de campos vazios. Antes havia vacas, ovelhas, cavalos. Agora não há nada, não à primeira vista.

O celular toca. Para o carro à beira da estrada e atende à sua sogra. Ele diz que não consegue falar, pois está dirigindo. Ela fala em voz baixa, sussurrando. Comenta que Cecilia está melhor, porém precisa de mais tempo, que ainda não consegue voltar. Ele não responde. A sogra desliga.

Ele é oprimido pelo curtume, pelo cheiro das águas residuais com cabelo, terra, óleo, sangue, resíduos, gordura e produtos químicos. E também pelo sr. Urami.

A paisagem desolada obriga-o a lembrar e a se perguntar, mais uma vez, por que continua nesse trabalho. Trabalhou apenas um ano no frigorífico El Ciprés, depois de concluir o ensino médio. Logo decidiu estudar veterinária, com a aprovação e alegria de seu pai. Porém, a epidemia do vírus animal surgiu pouco tempo depois. Voltou para casa porque o pai tinha enlouquecido. Os médicos diagnosticaram demência senil, mas ele sabe que o pai não suportou a Transição. Muitas pessoas se deixaram morrer por uma espécie de depressão aguda, outras se afastaram da realidade, outras simplesmente se mataram.

Avista o cartaz "Curtume Hifu. 3 Km". O sr. Urami, o dono, é um japonês que odeia o mundo em geral e adora a pele em particular.

Enquanto dirige pela estrada solitária, nega devagar com a cabeça porque não quer se lembrar, mas se lembra. O pai falando dos livros que o vigiam à noite, o pai acusando os vizinhos de serem assassinos de aluguel, o pai dançando com sua mulher morta, o pai perdido no campo, de cuecas, cantando o hino nacional para uma árvore, o pai internado em um asilo, a venda do frigorífico para saldar as dívidas e não perder a casa, o olhar ausente do pai, ainda hoje, cada vez que o visita.

Entra no curtume e sente um golpe no peito. É o cheiro dos produtos químicos que impossibilitam o processo de decomposição da pele. É um cheiro que asfixia. Todos trabalham em total silêncio. À primeira vista, parece quase transcendental, um silêncio zen, mas é porque o sr. Urami os observa lá de cima, do escritório. Não apenas vigia e controla os funcionários, como também tem câmeras por todos os lados.

Ele sobe até o escritório. Nunca precisa esperar. Metódicas, duas secretárias japonesas o recebem e, sem perguntar se aceita, servem-lhe chá vermelho em uma xícara transparente. O sr. Urami não olha para as pessoas. Ele as mede. Sempre sorri e ele sente que, quando o sr. Urami o observa, na verdade está calculando quantos metros de pele poderia extrair dele se o sacrificasse, se o despelasse e o descarnasse ali mesmo.

O escritório é sóbrio, elegante, mas na parede há uma reprodução barata de *O Juízo Final* de Michelangelo. Ele já a viu muitas vezes, porém só naquele dia repara que há uma personagem segurando uma pele esfolada. O sr. Urami observa-o, olha seu rosto desconcertado e, adivinhando seus pensamentos, diz que é um mártir, São Bartolomeu, que morreu esfolado, e achava que fosse um detalhe curioso. Ele assente sem dizer uma palavra, porque considera um detalhe desnecessário.

O sr. Urami fala, declama como se estivesse revelando uma série de verdades incomensuráveis para uma plateia numerosa. Os lábios dele brilham com sua saliva, tem lábios de peixe ou de sapo. Há um pouco de umidade e ziguezague. Há um pouco de enguia no sr. Urami. Ele apenas fica a observá-lo em silêncio porque, em essência, é o mesmo discurso que repete a cada visita. Pensa que o sr. Urami precisa reafirmar com palavras a realidade, como se essas palavras criassem e sustentassem o mundo em que ele vive. Imagina-o em silêncio, enquanto aos poucos as paredes do escritório começam a desaparecer, o chão se dissolve e as secretárias japonesas afundam no ar, evaporam. Ele vê tudo isso porque assim deseja, mas é algo que nunca vai acontecer, porque o sr. Urami fala de números, dos novos produtos químicos e tintas que está testando. Explica-lhe, como se ele não soubesse, a dificuldade com esse produto, que sente falta da pele das vacas. Embora, esclarece, a pele humana seja a mais macia da natureza, porque sua textura tem um grão menor. Pega o telefone e diz algo em japonês. Uma das secretárias entra com uma pasta enorme. O sr. Urami abre a pasta e lhe mostra distintos tipos de pele. Toca as peles como se fossem objetos cerimoniais. Explica como evitar os defeitos causados pelas contusões feitas durante o trânsito do lote, diz que essa pele é mais delicada. Ele olha a pasta. É a primeira vez que a mostra para ele. O sr. Urami oferece-lhe a pasta, mas ele não a toca. O sr. Urami indica com o dedo uma pele muito branca com marcas e fala que é uma das peles mais valiosas, embora uma grande porcentagem teve de ser descartada devido aos ferimentos profundos. Repete-lhe que só consegue disfarçar os ferimentos superficiais. Diz que montou essa pasta especialmente para ele, assim poderia mostrá-la para o pessoal do frigorífico e do criadouro, então eles entenderiam quais peles precisam de maior cuidado. O sr. Urami se levanta e tira uma lâmina de uma gaveta. Entrega-lhe e diz que já mandou um novo desenho, mas que precisa aperfeiçoá-lo por conta da importância do corte no momento da esfoladura, que um corte malfeito implica o desperdício de metros de couro, que o corte tem de ser simétrico. O sr. Urami volta a pegar o telefone. Uma secretária entra com uma chaleira transparente. Faz um gesto e a secretária serve mais chá. Ele não quer tomar, mas toma. As palavras do sr. Urami são medidas, harmoniosas. Constroem um mundo pequeno, controlado, cheio de fissuras. Um mundo que pode se romper por uma palavra inadequada. Fala sobre a importância essencial da esfoladora, se estiver mal calibrada pode desgarrar a pele, diz que a pele fresca que enviam do frigorífico precisa de mais refrigeração para que o descarnamento posterior seja menos complicado; fala da necessidade de que os lotes estejam bem hidratados para que a pele não fique seca, para evitar que rache; diz que é preciso falar com o pessoal do criadouro sobre isso, porque não respeitam a dieta hídrica, que o atordoamento tem de ser preciso porque, caso os sacrifiquem com descuido, isso depois se percebe na pele, que fica dura e é mais difícil de trabalhar porque, salienta o sr. Urami, "tudo se reflete na pele, o maior órgão do corpo". Essa frase é dita com pronúncia exagerada sem deixar de sorrir. Com essa frase ele conclui todos seus discursos e depois faz um silêncio calculado.

Ele sabe que não precisa falar, apenas assentir, mas há palavras que golpeiam seu cérebro, que se acumulam, que o deixam vulnerável. Gostaria de falar atrocidade, inclemência, excesso, sadismo. Gostaria que essas palavras rasgassem o sorriso do sr. Urami, perfurassem o silêncio regulado, comprimissem o ar até asfixiá-los.

Mas fica mudo e sorri.

O sr. Urami nunca o acompanha até a saída, mas dessa vez desce com ele. Antes de ele ir embora, os dois ficam parados ao lado de um caleiro. O sr. Urami controla um funcionário que processa peles ainda com pelos. Devem ser de um criadouro, pensa, porque as do frigorífico são entregues completamente depiladas. O sr. Urami faz um gesto. O encarregado aparece e começa a gritar com um operário que está descarnando uma pele fresca. Parece que estava fazendo tudo errado. Para justificar a aparente ineficiência do funcionário, o encarregado tenta explicar ao sr. Urami que o rolo da máquina de descarne quebrou e que eles não têm o costume de descarnar manualmente. O sr. Urami o interrompe com outro gesto. O encarregado se curva e vai embora.

Depois, andam até o fulão de curtido. O sr. Urami para e diz que quer peles negras. Só isso, sem explicações. Ele mente e responde que chegará um lote em breve. O sr. Urami assente e se despede.

Toda vez que ele sai do prédio, sente a necessidade de fumar um cigarro. Sempre algum funcionário se aproxima para contar-lhe atrocidades sobre o sr. Urami. Os boatos dizem que, antes da Transição, ele assassinava e esfolava pessoas, que as paredes de sua casa estão cobertas de pele humana, que mantém pessoas no porão e sente enorme prazer em esfolá-las vivas. Ele não compreende por que os funcionários contam essas coisas a ele. Tudo é possível, pensa, mas a única coisa de que ele tem certeza é que o sr. Urami dirige seu negócio como um reinado de terror, e que funciona.

Deixa o curtume e sente alívio. Pergunta-se, mais uma vez, por que se expõe a isso. E a resposta é sempre a mesma. Sabe por que faz esse trabalho. Porque ele é o melhor e o pagam como tal, porque não sabe fazer outra coisa e porque a saúde de seu pai assim requer.

Às vezes a gente tem que carregar o peso do mundo.

3

Trabalham com vários criadouros, mas ele inclui no itinerário da carne aqueles que fornecem a maior quantidade de cabeças. Antes trabalhavam com o criadouro Guerrero Iraola, mas o produto perdeu qualidade. Algumas cabeças dos lotes que mandavam eram violentas e, quanto mais violentas, mais difícil atordoá-las. Visitou o criadouro Tod Voldelig quando teve de fechar a primeira operação, mas é a primeira vez que o inclui no itinerário da carne.

Antes de entrar, liga para o asilo onde o pai está. Quem o atende é Nélida, uma mulher que se ocupa de coisas que realmente não lhe provocam uma paixão exagerada. A voz dela é elétrica, mas, por trás do som, ele percebe um cansaço que a corrói, que a consome. Ela diz que o pai está bem, chama-o de dom Armando. Ele diz que vai visitá-lo em breve, que já fez a transferência desse mês. Nélida diz, querido, não se preocupe, querido, dom Armando está estável, tem suas coisinhas, mas está estável. Ele pergunta se com coisinhas ela se refere a episódios. Ela fala que ele não se preocupe, pois não é nada que esteja fora do controle.

Ele desliga e permanece por alguns minutos no carro. Procura o telefone da irmã. Ia ligar para ela, mas se arrepende.

Entra no criadouro. O Gringo, o dono, pede desculpas e diz que veio um alemão querendo comprar um lote importante, que por isso precisa mostrar o criadouro e explicar tudo a ele, porque o alemão não entende nada, é novo no negócio, que veio do nada e não teve tempo de avisá-lo. Ele responde que não se importa, que vai acompanhá-los.

O Gringo é desajeitado. Anda como se o ar fosse demasiado denso para ele. Não tem noção da magnitude de seu corpo, esbarra nas pessoas, nas coisas. Transpira. Muito.

Quando ele conheceu o Gringo, pensou que fosse um erro trabalhar com esse criadouro, mas o Gringo é eficiente e é um dos poucos que resolveu vários problemas com os lotes. Tem o tipo de inteligência que não precisa de refinamentos.

O Gringo o apresenta ao alemão. Egmont Schrei. Cumprimentam-se com um aperto de mãos. Egmont não o olha no olho. Veste uma calça jeans que parece recém-comprada e uma camisa social limpa demais. Tênis branco. Parece deslocado com a camisa social bem passada e o cabelo loiro grudado na cabeça. Mas Egmont sabe. Não diz uma palavra, porque sabe, e essa roupa que só um estrangeiro que nunca pisou em um campo usaria, serve-lhe para impor a distância necessária para planejar o negócio.

O Gringo pega o dispositivo de tradução automática. Ele conhece esses dispositivos, mas nunca precisou usar um. Nunca pôde viajar. Percebe que é um modelo antigo, com apenas três ou quatro idiomas. O Gringo fala para o aparelho, que traduz tudo para o alemão automaticamente. Diz que vai mostrar o criadouro, que começarão pelo rufião. Egmont assente com a cabeça. Não mostra as mãos. Estão atrás de suas costas.

Andam pelos corredores com jaulas cobertas. O Gringo explica a Egmont que um criadouro é um grande depósito de carne viva e levanta os braços como se estivesse revelando a chave do negócio. O alemão parece não entender. O Gringo deixa de lado as definições grandiloquentes e começa a explicar as coisas básicas, como: manter as cabeças separadas, cada uma em sua jaula, para evitar episódios de violência, que se machuquem ou se comam. O aparelho traduz com uma voz mecânica de mulher. Egmont assente.

Ele não consegue deixar de pensar na ironia. Carne comendo carne.

Abre a jaula do rufião. No chão há um capim que parece fresco e duas bacias de metal fixadas nas barras. Uma tem água. A outra, vazia, é para o alimento. O gringo fala através do aparelho e explica que foi ele quem criou desde filhote esse rufião, que é da Primeira Geração Pura. O alemão olha para ele com curiosidade. Pega seu aparelho de tradução. De um modelo mais novo. E pergunta o que seria a geração pura. O Gringo explica que as PGP são cabeças nascidas e criadas em cativeiro, que não têm modificações genéticas nem recebem injeções para acelerar o crescimento. O alemão parece compreender e não faz comentários. O Gringo continua com o que estava dizendo, que parece interessá-lo mais, e explica que os garanhões são comprados pela qualidade genética. Que ele o chama de rufião, porém tecnicamente não seria, pois aquele ali emprenha as fêmeas, as cobre. Ele diz que o chama assim porque serve para detectar as fêmeas que estão prontas para ser fertilizadas. Os outros garanhões estão destinados a encher de sêmen as latas de coleta para a inseminação artificial. O aparelho traduz.

Egmont quer entrar na jaula, mas se detém antes. O rufião se mexe, olha para ele, e o alemão dá um passo para trás. O Gringo não percebe o desconforto do alemão. Continua falando. Diz que ele compra os garanhões segundo a conversão alimentar e a qualidade da musculatura, mas que ele não comprou esse rufião, criou, esclarece pela segunda vez. Explica que a inseminação artificial é fundamental para evitar doenças, permitindo a produção de lotes mais homogêneos para os frigoríficos, dentre muitos outros benefícios. O gringo pisca para o alemão e conclui: o investimento só vale se forem manipuladas mais de cem cabeças, porque a manutenção e a equipe especializada são caras. O alemão fala através do aparelho e pergunta para que usam o rufião então, se não são porcos nem cavalos, são humanos; também pergunta por que o rufião cobre as fêmeas, não deveria, pois é pouco higiênico. A voz da tradução é de homem. Uma voz que parece mais natural. O Gringo ri, um pouco incomodado. Ninguém os chama de humanos, não aqui, não onde é proibido. "Não, claro, não são porcos, embora sejam geneticamente bem parecidos, mas eles não têm o vírus." Faz-se silêncio. A voz da máquina falha, e o Gringo a examina. Dá umas pancadinhas nela e a máquina volta a funcionar. "Esse macho tem a habilidade de detectar os cios silenciosos das fêmeas, deixando-as ótimas. Percebemos que, se o rufião as cobre, as fêmeas ficam com mais disposição para a inseminação. Porém está vasectomizado para não emprenhá-las, porque tem que fazer um controle genético. Além do mais, é conferido constantemente. Está limpo e é vacinado."

Ele vê como o lugar vai se enchendo das palavras ditas pelo Gringo. São palavras leves, sem peso. São palavras que se misturam com as outras, as incompreensíveis, com as mecânicas ditas por uma voz artificial, uma voz que não sabe como todas essas palavras podem envolvê-lo, até sufocá-lo.

O alemão olha para o rufião em silêncio. Parece que em seu olhar há inveja ou admiração. Ri e diz: "Que vida boa a dele". A máquina traduz. O Gringo olha para o alemão e ri, dissimulando uma mescla de nojo e irritação. Ele vê como vão surgindo perguntas que se acumulam no cérebro do Gringo: como pode se comparar a uma cabeça? Como pode desejar isto, ser um animal? Depois de um longo e incômodo silêncio, o Gringo responde: "É por pouco tempo; quando não servir mais, o rufião também vai para o frigorífico".

O Gringo continua falando como se não pudesse fazer outra coisa, está abalado. Ele olha para os pingos de suor descendo da testa do Gringo e parando apenas nas cavidades do rosto. Egmont pergunta se falam, pois tanto silêncio chama sua atenção. O Gringo responde que, desde pequenos, ficam isolados em incubadoras e depois em jaulas. Que extraem as cordas vocais deles para controlá-los melhor. Ninguém quer que falem, pois carne não fala. Diz que se comunicar eles se comunicam, mas através de uma linguagem elementar. Dá para saber se estão com frio, calor, essas coisas básicas.

O rufião coça um testículo. Em sua testa há marcas de ferro quente, um T e um V entrelaçados. Está desnudo, como todas as cabeças de todos os criadouros. Tem um olhar perturbado, como se por trás da impossibilidade de pronunciar palavras houvesse uma loucura oculta.

"Ano que vem vai competir na Sociedade Rural", diz o Gringo em tom triunfante, e ri com um barulho parecido com o de um rato ciscando a parede. Egmont olha sem entender e o Gringo explica que na Sociedade Rural são premiadas as melhores cabeças das raças mais puras.

Andam entre as jaulas. Ele calcula que nesse galpão há mais de duzentas cabeças. Não é o único galpão. O Gringo se aproxima e põe a mão no ombro dele. A mão é pesada. Ele sente o calor, o suor dessa mão que começa a umedecer sua camisa. O Gringo diz em voz baixa:

— Olhe, Tejo, vou mandar o novo lote para vocês na semana que vem. Carne *premium*, de exportação. Mando também alguns PGP.

Ele sente a respiração irregular perto da orelha.

— No mês passado, você enviou um lote com dois doentes. A Vigilância Sanitária não autorizou a embalagem e deixamos para os Carniceiros. Krieg mandou dizer que, se acontecer novamente, vai trocar de criadouro.

O Gringo assente.

— Vou terminar aqui com o alemão e depois conversamos melhor.

Leva os dois para o escritório. Aqui não há secretárias japonesas nem chá vermelho, pensa. Há pouco espaço e paredes de placas de MDF. Entrega-lhe um folheto e pede que ele o leia. Explica a Egmont que está exportando sangue de um lote especial de fêmeas prenhes. Esclarece que esse sangue tem propriedades especiais. Ele lê, em letras grandes e vermelhas, que o procedimento reduz a quantidade de horas improdutivas da mercadoria.

Pensa: mercadoria, outra palavra que obscurece o mundo.

O Gringo continua falando. Esclarece que são infinitos os usos do sangue das grávidas. Que antes o negócio não foi explorado porque era ilegal. Que pagam fortunas porque, quando extraem o sangue, invariavelmente elas acabam abortando, pois ficam anêmicas. A máquina traduz. As palavras caem na mesa com um peso desconcertante. O Gringo diz a Egmont que vale a pena investir nesse negócio.

Ele não responde, o alemão tampouco. O Gringo seca a testa com a manga da camisa. Saem do escritório.

Passam pelo setor onde ficam as leiteiras. Há máquinas que lhes sugam os úberes, como são chamadas pelo Gringo. "O leite desses úberes é de primeira qualidade", fala para o aparelho e lhes oferece um copo, enquanto esclarece: "Recém-ordenhado". Egmont experimenta. Ele nega, acenando com a cabeça. O Gringo conta que são manhosas e têm uma vida útil curta, estressam-se rápido e, quando já não servem, a carne é enviada para o frigorífico fornecedor de comidas rápidas, assim se lucra mais. O alemão assente e diz *"sehr schmackhaft"*, a máquina traduz "muito saborosa".

Enquanto seguem rumo à saída, passam pelo galpão das prenhes. Algumas estão em jaulas, outras estão deitadas em mesas, sem braços nem pernas.

Ele desvia o olhar. Sabe que, em muitos criadouros, inabilitam aquelas que matam os fetos batendo a barriga nas barras, deixando de comer, fazendo qualquer coisa para que o bebê não nasça e morra em um frigorífico. Como se soubessem, pensa.

O Gringo acelera o passo e explica algo a Egmont, que não consegue ver as prenhes nas mesas.

Na sala contígua, estão as crias em incubadoras. O alemão fica olhando para as máquinas. Tira fotos.

O Gringo se aproxima. Ele sente o cheiro pegajoso desse corpo que transpira quase doente.

— Fiquei preocupado com o que você disse sobre a Vigilância Sanitária. Amanhã vou ligar de novo para os especialistas para que façam a revisão e, se tiver mais alguma cabeça para descarte, me avise que eu faço um desconto.

Os especialistas, pensa, estudaram medicina, mas quando eles trabalham conferindo lotes em criadouros ninguém os chama de médicos.

— Outra coisa, Gringo. Não poupe mais no transporte, da outra vez duas cabeças chegaram quase mortas.

O Gringo assente.

— Ninguém pretende que viajem sentados na primeira classe, mas não os amontoe como sacos de farinha porque acabam desmaiando e batendo a cabeça, e se eles morrerem, quem paga? Além disso, eles se machucam e depois os curtumes pagam menos pelo couro. O chefe também não concorda com isso.

Entrega a pasta do sr. Urami.

— Tome cuidado especialmente com as peles mais claras. Vou deixar esse mostruário por um tempo com você, para que guarde bem os valores e dê um trato especial aos mais caros.

O Gringo fica vermelho.

—Pode deixar, não vai acontecer de novo. Um dos caminhões quebrou e, para não atrasar a entrega, eu os amontoei um pouco mais que de costume.

Andam por outro galpão. O Gringo abre uma das jaulas. Tira uma fêmea com uma corda no pescoço.

Abre-lhe a boca. Ela parece estar com frio. Treme.

— Olhe esses dentes. Todos saudáveis.

Levanta os braços e abre as pernas da fêmea. Egmont se aproxima para examiná-la. O Gringo fala para a máquina:

— São necessários investimentos em vacinas e remédios para mantê-los saudáveis. Muito antibiótico. Todas as minhas cabeças estão com os documentos atualizados e em ordem.

O alemão olha para ela concentrado, girando ao seu redor. Agacha-se, olha os pés e abre-lhe os dedos. Fala pelo aparelho que traduz:

— Esta é de uma geração purificada?

O Gringo reprime o sorriso.

— Não, esta não é da Geração Pura. Esta foi modificada geneticamente para que crescesse muito mais rápido, o que complementamos com alimento especial e injeções.

— Mas o sabor muda?

— São muito saborosas. Óbvio que os PGP são carne de alta gama, mas a qualidade destas é ótima.

O Gringo tira um aparelho que parece um tubo. Ele conhece bem esse tipo de aparelhos. São usados no frigorífico. Põe a ponta do aparelho no braço da fêmea. Aperta um botão e a fêmea abre a boca em um gesto de dor. No braço dela ficou uma ferida milimétrica, mas que sangra. O Gringo acena para um funcionário, que se aproxima para fazer um curativo.

Abre o tubo e dentro dele há um pedaço de carne do braço da fêmea. É comprido, bem pequeno, do tamanho da metade de um dedo. Entrega-o para o alemão e pede que ele experimente. O alemão duvida. Porém, depois de alguns segundos o experimenta e sorri.

— Muito saborosa, não é? Aliás, é um bloco sólido de proteínas — diz o Gringo através da máquina que traduz.

O alemão assente.

O Gringo se aproxima e diz em voz baixa:

— É carne de primeira qualidade, Tejo.

— Se você enviar algum com a carne dura, posso disfarçar para o chefe, pois ele sabe que os marreteiros podem errar o golpe, mas com a Vigilância Sanitária não dá para brincar.

— Sim, está certo.

— Com os porcos e bois aceitavam uma propina, mas hoje, esqueça. Todos ficaram paranoicos com isso do vírus, entende? Você recebe uma denúncia e fecham o frigorífico.

O Gringo assente. Puxa a corda e bota a fêmea na jaula. A fêmea perde o equilíbrio e cai sobre o capim.

Há cheiro de churrasco. Vão até a área de descanso dos peões. Estão fazendo uma costela no fogo de chão. O Gringo explica a Egmont que começaram a preparar a costela às oito da manhã "para que a carne se dissolva na boca", e que, aliás, os rapazes iam comer vitela. Esclarece: "É a carne mais macia que há, pouca, porque não pesa o mesmo que um novilho. Estamos comemorando porque um dos rapazes acaba de ser pai. Querem um sanduíche?". O alemão assente. Ele diz que não. Todos olham para ele surpresos. Ninguém rejeita essa carne, comê-la é equivalente a um mês de salário. O Gringo não disse nada porque sabe que suas vendas dependem da quantidade de cabeças que ele decidir comprar. Um dos peões corta um pedaço de carne da cria e prepara dois sanduíches. Acrescenta um molho apimentado, de cor vermelho-alaranjada.

Chegam a um galpão menor. O Gringo abre outra jaula. Acena para que apareçam e diz para a máquina: "Comecei a criar obesos; eu os superalimento para depois vendê-los a um frigorífico especializado em gordura. Fazem tudo quanto é coisa, até biscoitinhos *gourmet*".

O alemão se afasta para comer o sanduíche. Come encurvado. Não quer manchar a roupa. O molho cai bem perto do tênis. O Gringo se aproxima e entrega-lhe um lenço, mas Egmont acena indicando que não precisa, que o sanduíche está gostoso. Permanece de pé, comendo.

— Gringo, preciso de pele negra.

— Justo nesse momento estou em tratativas para trazer um lote da África. Você não é o primeiro a pedir.

— Depois te confirmo a quantidade de cabeças.

— Parece que um estilista famoso lançou uma coleção com couro negro e que vai bombar no inverno.

Ele quer ir embora. Precisa deixar de ouvir a voz do Gringo. Precisa deixar de ver como as palavras se acumulam no ar.

Passam por um galpão branco, novo, que ele não tinha visto quando entrou. O Gringo aponta para o galpão e diz à máquina que está investindo em outro negócio, criando alguns para o transplante de órgãos.

Egmont se aproxima com interesse. O Gringo dá uma mordida no sanduíche e, com a boca cheia de carne, explica: "Finalmente, aprovaram a lei. Preciso de mais permissões e controles, porém o rendimento é maior. Outro bom negócio para investir".

Ele se despede. Não tem interesse em continuar ouvindo. O alemão ia estendendo sua mão, porém a recolhe quando percebe que está manchada com a gordura do sanduíche. Pede desculpas com um gesto e sussurra *"Entschuldigung"*. Sorri. A máquina não traduz.

Do canto de sua boca cai lentamente o molho alaranjado, que começa a pingar sobre os tênis brancos.

4

Acorda cedo porque precisa ir aos açougues. Sua mulher ainda está com a mãe.

    Entra em um quarto vazio onde há apenas um berço no centro. Toca a madeira branca do berço. Na cabeceira, o desenho de um urso e um pato abraçados. Estão rodeados de esquilos e borboletas e árvores e um sol sorridente. Não há nuvens nem humanos. Esse tinha sido seu berço e foi o berço de seu filho. Já não se vendem produtos com animais fofos, inocentes. Foram substituídos por barquinhos, florezinhas, fadas, gnomos. Sabe que precisa tirá-lo daí, destroçá-lo e queimá-lo antes de sua mulher voltar. Mas não consegue.

    Está tomando chimarrão quando escuta um caminhão buzinar na entrada de sua casa. Espia pela janela e vê as letras vermelhas "Tod Voldeling".

    Sua casa é relativamente isolada. Os vizinhos mais próximos moram a dois quilômetros. Para chegar até a casa, é necessário abrir a porteira, que ele pensou ter deixado trancada com cadeado, e percorrer o caminho cercado de eucaliptos. Ficou surpreso por não ter ouvido o motor do caminhão ou ter visto a nuvem de terra. Antes, havia cachorros que corriam latindo atrás dos carros. A ausência dos animais deixou um silêncio opressivo, mudo.

Quando escuta a buzina, solta o chimarrão, exaltado, e se queima. Alguém bate palmas e grita seu nome.

— Olá, sr. Tejo?

— Olá. Sim, sou eu.

— Trago um presente do Gringo. Assina aqui?

Ele assina sem prestar atenção no que está assinando. O homem entrega um envelope a ele e depois vai até o caminhão. Abre a porta traseira, entra e tira uma fêmea.

— O que é isso?

— Uma fêmea PGP.

— Leve isso embora, vá! Agora.

O homem fica parado, sem saber o que fazer. Olha para ele desconcertado. Ninguém seria capaz de rejeitar um presente daqueles. Com a venda dessa fêmea dá para acumular uma pequena fortuna. O homem puxa a corda amarrada no pescoço da fêmea, sem saber o que fazer. A fêmea se move, submissa.

— Não posso. Se eu voltar com ela, o Gringo me põe na rua.

Ajusta a corda e entrega a ele a outra ponta. Como ele não a segura, o homem joga a corda no chão, dá alguns passos apressados, sobe no caminhão e parte.

5

— Gringo, o que você me enviou?
— Um presente.
— Eu mato cabeças, não crio. Entendeu?
— Fique com ela por alguns dias, depois a gente faz um churrasco.
— Estou sem tempo, sem vontade nem recursos para ficar com ela alguns dias.
— Amanhã eu envio a rapaziada para sacrificá-la.
— Se é para sacrificá-la, eu mesmo faço.
— Resolvido, então. Enviei todos os documentos, caso você queira vendê-la. Está saudável, com as vacinas atualizadas. Você também pode cruzá-la. Está na idade reprodutiva perfeita. Porém o mais importante é que ela é uma PGP.

Ele não responde. O Gringo diz que a fêmea é um luxo, repete que tem genes limpos, como se ele não soubesse. Esclarece que ela faz parte de um lote que há mais de um ano ele alimenta com ração à base de amêndoas. "É para um cliente exigente, que pede para eu cultivar carne personalizada para ele." Explica que ele cria algumas cabeças a mais, caso alguma morra antes do tempo. Cumprimenta-o, mas antes esclarece que o presente é para que ele perceba o quanto valoriza fazer negócios com o Frigorífico Krieg.

— Sim, obrigado.

Desliga furioso, porque, em sua mente, insulta o Gringo e seu presente submisso. Senta-se e olha a hora. Já está tarde. Sai e desamarra a fêmea da árvore em que a amarrara. A fêmea não tenta nem tirar a corda do pescoço. Claro, ele pensa, ela não sabe que pode tirá-la. Quando ele se aproxima, ela começa a tremer. Olha para o chão. Urina-se. Ele a leva até o galpão e a amarra na porta de um caminhão quebrado e enferrujado.

Entra na casa e pensa o que pode deixar para a fêmea comer. O Gringo não enviou ração balanceada, só enviou um problema. Abre a geladeira. Um limão. Três cervejas. Dois tomates. A metade de um pepino. E algo em uma panela que sobrara de algum dia. Cheira e acha que está bom. É arroz branco.

Leva uma bacia com água e outra com o arroz frio. Tranca a porta do galpão com o cadeado e vai embora.

6

Ir aos açougues é a parte mais difícil do itinerário da carne, porque ele precisa ir à cidade, porque tem de ver Spanel, porque o calor do concreto não o deixa respirar, porque tem de respeitar o toque de recolher, porque os prédios, as praças e as ruas o fazem lembrar de que antes havia mais pessoas, muitas mais.

Antes da Transição, os açougues eram atendidos por funcionários mal pagos que, muitas vezes, eram obrigados por seus patrões a adulterar a carne para vendê-la podre. Como um funcionário havia dito a ele, quando trabalhava no frigorífico do pai: "O que vendemos está morto, está apodrecendo e parece que as pessoas não querem aceitar isso". Entre um chimarrão e outro, o funcionário contou-lhe os segredos de como adulterar a carne, para que parecesse fresca, para que não se sentisse o cheiro ruim: "Para a carne embalada usamos monóxido de carbono; para a que fica na vitrine, muita refrigeração, cândida, bicarbonato de sódio, vinagre e temperos, muita pimenta". As pessoas sempre lhe confessavam coisas. Ele acha que é porque sabe escutar e não tem interesse em falar de si mesmo. O funcionário contou-lhe que o chefe, para compensar, comprava carne confiscada pela Vigilância Sanitária, algumas peças com vermes que ele tinha de preparar para depois colocar à venda. Explicou-lhe que a preparação implicava deixá-la muito tempo na geladeira para que o frio detivesse o cheiro. Que ele era obrigado a vender carne adoecida, com manchas amarelas que ele precisava tirar. O funcionário queria sair do açougue e conseguir um trabalho no frigorífico El Ciprés, que tinha uma boa reputação, e disse que só queria um trabalho honesto para sustentar a família. Explicou-lhe que não suportava o cheiro de cândida, que o cheiro do frango podre o fazia vomitar, que nunca se sentira tão doente e miserável. Que não conseguia olhar nos olhos das mulheres humildes quando lhe pediam a carne mais barata para fazer bife à milanesa para os filhos. Que quando o dono não estava, ele lhes dava a carne mais fresca, mas quando estava ele tinha de dar a carne podre e depois não conseguia dormir por conta da culpa. Que esse trabalho o consumia pouco a pouco. Quando contou isso para seu pai, ele decidiu deixar de mandar carne para esse açougue e contratou o funcionário.

Seu pai era uma pessoa íntegra, por isso está demente.

Entra no carro. Suspira, mas logo pensa que vai ver Spanel e sorri, embora vê-la sempre seja difícil.

Enquanto dirige, uma imagem irrompe em seu cérebro. É a fêmea em seu galpão. O que estaria fazendo? Será que tem comida suficiente? Estará com frio? Insulta mentalmente o Gringo.

Chega ao Açougue Spanel. Desce do carro. As calçadas da cidade estão mais limpas desde que os cachorros se foram. E mais vazias.

Na cidade tudo é extremo. Voraz.

Com a Transição, os açougues fecharam e só depois, com a legitimação do canibalismo, alguns abriram de novo. Porém, são exclusivos e atendidos pelos donos, que exigem qualidade extrema. São poucos os que conseguem ter dois açougues e, nesse caso, o atendimento fica a cargo de um parente ou alguém de muita confiança.

A carne especial dos açougues não é acessível e por conta disso, surgiu um mercado clandestino no qual se vende carne mais barata porque não precisa dos controles nem de vacinas e porque é carne fácil, carne com nome e sobrenome. É assim que a carne ilegal é chamada, aquela que se consegue e se produz após o toque de recolher. Mas também é carne que nunca será modificada geneticamente nem controlada para que fique mais macia, mais gostosa, mais viciante.

Spanel foi uma das primeiras a reabrir seu açougue. Ele sabe que para Spanel o mundo é indiferente. Ela só sabe cortar carne e faz isso com a frieza de um cirurgião. A energia viscosa, o ar frio em que os odores ficam suspensos, os azulejos brancos pretendendo ratificar higiene, o avental manchado com sangue, tudo isso é indiferente para ela. Para Spanel, tocar, cortar, triturar, processar, desossar, desmanchar aquilo que uma vez respirou é uma tarefa automática, porém de precisão. É uma paixão contida, calculada.

Com a carne especial foi necessária uma adaptação a novos cortes, novas medidas e pesos, novos gostos. Spanel foi a primeira e a mais rápida, porque manipulava a carne com um desapego assustador. No início, tinha poucos clientes: eram as empregadas dos ricos. Spanel tinha visão para os negócios e instalou o primeiro açougue no bairro de maior poder aquisitivo. As empregadas pegavam a carne com nojo e confusão e sempre esclareciam que eram mandadas pelo patrão ou pela senhora, como se isso fosse necessário. Ela as olhava com um sorriso apertado, mas compreensivo, e as empregadas sempre voltavam por mais, com mais confiança a cada vez, até deixarem de dar explicações. Com o passar do tempo, os clientes começaram a ser mais frequentes. Todos se sentiam mais tranquilos ao ser atendidos por uma mulher.

O que ninguém sabe é o que essa mulher pensa. Mas ele sabe. Ele conhece muito bem Spanel, porque ela também trabalhava no frigorífico do pai.

Spanel lhe diz frases estranhas enquanto fuma. Ele gostaria de que sua visita durasse o menor tempo possível, por conta do mal-estar que a intensidade congelada de Spanel gera nele. E Spanel o retém, sempre o retém, como fez quando ele começou a trabalhar no frigorífico do pai e o levou até a sala de cortes, quando todos tinham ido embora.

Ele acredita que ela não tem com quem falar ou contar o que pensa. Também imagina que Spanel estaria disposta a se deitar outra vez na mesa de cortes, e que seria tão eficiente e despojada como foi quando ele ainda não era um homem. Ou não, agora seria vulnerável e frágil, abrindo os olhos para que ele pudesse entrar, ali, detrás do frio.

Ela tem um ajudante de quem ele nunca ouviu uma palavra. Ele é quem faz o trabalho duro, quem carrega as peças até a câmara fria e quem limpa a loja. Tem o olhar de cachorro, de lealdade incondicional e ferocidade contida. Não sabe o nome dele, Spanel nunca lhe dirige a palavra, e quando ele a visita, geralmente o Cachorro aparece pouco.

Quando Spanel abriu o açougue, imitava os tradicionais cortes bovinos para a mudança não ser tão abrupta. Se alguém entrava, logo pensava que estava em um açougue de antigamente. Com o tempo, foi mudando de forma gradual, mas constante. Primeiro apareceram em um canto as mãos embaladas a vácuo, disfarçadas entre os bifes à rolê, a fraldinha e os rins. A embalagem tinha etiqueta de carne especial e, em outra parte, o esclarecimento de extremidade superior, evitando, estrategicamente, colocar a palavra mão. Com o tempo, acrescentou pés embalados apresentados em colchão de alface com a etiqueta de extremidade inferior. Mais tarde, uma bandeja com línguas, pênis, narizes, testículos com cartaz "Delícias Spanel".

Pouco depois, e com base nos cortes suínos, as pessoas começaram a chamar as extremidades superiores de mãozinhas e as inferiores, de patinhas. Com essa permissão e esses diminutivos que anulavam o espanto, a indústria as catalogou dessa forma.

Hoje em dia, já vende *brochettes* de orelhas e dedos, sob o nome de "*brochettes* mistas". Vende licores com globos oculares. Língua à vinagrete.

Spanel o leva para um quarto que fica atrás do açougue, onde há uma mesa de madeira e duas cadeiras. Estão rodeados de geladeiras onde ela guarda as meias peças, tiradas da câmara fria para cortar e depois vender. O torso humano é chamado de "peça". A possibilidade de ser chamado de "meio torso" não é considerada. Nas geladeiras também há braços e pernas.

Pede a ele que se sente e serve um copo com vinho pisado. Ele bebe porque precisa do vinho para poder olhar em seus olhos, para não lembrar de como ela o empurrou sobre a mesa que, normalmente, estava cheia de vísceras de vaca, mas, naquele momento, estava tão limpa quanto uma mesa cirúrgica, e desceu-lhe as calças sem dizer uma palavra. Como ela suspendeu o avental, ainda manchado de sangue, subiu à mesa em que ele estava já deitado e nu, e sentou-se cuidadosamente, segurando-se nos ganchos que transportavam as vacas.

Não é que considere Spanel perigosa, ou louca, ou que a imagine nua (porque nunca a viu nua), ou que tenha conhecido pouquíssimas açougueiras mulheres e todas elas sejam herméticas, impossíveis de decifrar. Também precisa do vinho para conseguir ouvi-la com calma, porque as palavras de Spanel perfuram seu cérebro. São palavras geladas, afiadas, como quando disse "não" a ele e pegou seus braços e os segurou com força quando ele tentou tocá-la, tirar o avental dela, acariciar seu cabelo. Ou quando tentou se aproximar no dia seguinte e ela só disse "adeus", sem explicações e sem um beijo de despedida. Depois soube que ela havia herdado uma pequena fortuna com a qual comprou o açougue.

Ela assina papéis que ele levou para certificar sua conformidade com o Frigorífico Krieg e ratificar que não adultera a carne. São formalidades, pois é sabido que ninguém adultera, não agora, não a carne especial.

Assina e toma vinho. São dez da manhã.

Spanel lhe oferece um cigarro e o acende. Enquanto fumam, diz a ele: "Não entendo por que achamos atraente o sorriso de uma pessoa. Com o sorriso, a gente mostra o esqueleto". Ele percebe que nunca a vira sorrir, nem sequer quando se segurou nos ganchos e olhou para cima e gritou de prazer. Foi apenas um grito, um grito bestial e obscuro.

"Sei que, quando eu morrer, alguém vai vender minha carne no mercado clandestino, algum desses parentes distantes e horríveis que eu tenho. Por isso fumo e bebo, para que o sabor da minha carne seja amargo e ninguém desfrute da minha morte." Dá uma tragada curta e diz: "Hoje sou a açougueira, amanhã posso ser o gado". Ele bebe de um gole só e diz que não entende, que ela tem grana, que poderia garantir sua morte como fazem tantos outros. Ela o olha com pena: "Ninguém tem nada assegurado. Que me comam então, eles vão ter uma indigestão terrível". Abre a boca sem mostrar os dentes, e se ouve um som gutural, um som que poderia ser uma gargalhada, mas não é. "Estou rodeada de morte, o dia todo, a toda hora", e aponta para as peças nas geladeiras: "Tudo indica que meu destino será esse, ou você acha que não vamos pagar por isso?". "Então, por que você não desiste? Por que não vende o açougue e vai trabalhar com outra coisa?" Spanel olha para ele e dá uma tragada longa. Demora a responder, como se a resposta fosse evidente e não precisasse de palavras. Solta a fumaça lentamente e diz: "Vai que algum dia eu venda suas costelas por um bom preço. Mas antes provaria uma". Ele bebe mais vinho e responde: "É bom mesmo, eu devo ser delicioso". E sorri, mostrando todo o seu esqueleto. Ela o observa com os olhos gélidos. Ele sabe que ela está falando sério. Também sabe que essa conversa é proibida, que aquelas palavras podem lhes trazer grandes problemas. Porém, ele precisa que alguém diga o que ninguém diz.

Toca o sino da porta do açougue. Um cliente. Spanel levanta-se para atendê-lo.

O Cachorro aparece. Sem olhar para ele, o funcionário tira uma meia peça da geladeira e a leva para um quarto refrigerado com a porta de vidro. Ele pode ver tudo o que o Cachorro faz. Pendura a meia peça para não contaminar a carne. Arranca as marcas de aprovação do ONSA e começa a esquartejar a carne. Faz um corte fino nas costelas para extrair um bom matambre. Ele não sabe os cortes de cor como antes. Durante a adaptação, muitos dos nomes de cortes bovinos foram utilizados e misturados com os suínos. Redigiram-se novos catálogos e desenharam-se novos cartazes com os cortes da carne especial. Esses cartazes nunca ficam expostos para o público. O Cachorro pega a serra e corta o pescoço.

Spanel entra e serve mais vinho. Senta-se e diz a ele que as pessoas estão voltando a pedir cérebros, que um médico tinha confirmado que comer cérebros produzia sei lá que doença, uma de nome composto, mas que agora parece que outro grupo de médicos e várias universidades confirmaram que não. Ela sabe que sim, que aquela massa viscosa não tem como ser boa sem estar dentro da cabeça. Mas vai comprá-los e cortá-los em fatias. É uma tarefa difícil, diz, porque escorregam demais. Pergunta se pode encomendar o pedido da semana com ele. Não espera a resposta. Pega uma caneta e começa a escrever. Ele não esclarece que pode enviar o pedido virtualmente. Gosta de ver como Spanel escreve em silêncio, concentrada, séria.

Ele a observa com atenção enquanto ela completa o pedido com letra apertada. Spanel tem uma beleza recolhida. Inquieta-o porque existe algo feminino por debaixo dessa aura bestial que ela faz questão de mostrar. Há alguma coisa admirável nesse desapego artificial.

Há algo nela que ele gostaria de romper.

7

Em itinerários anteriores, depois da Transição, ele sempre ficava em um hotel da cidade e, no dia seguinte, ia à reserva de caça. Dessa forma, evitava algumas horas dirigindo. Mas, com a fêmea em seu galpão, ele precisa voltar.

Antes de sair da cidade, compra ração balanceada especial para cabeças domésticas.

Chega à sua casa à noite. Desce do carro e vai direito para o galpão. Xinga o Gringo. Justo agora, justo na semana do itinerário da carne, ele vem e me traz esse problema. Justo quando Cecilia não está.

Abre o galpão. A fêmea está encolhida no chão, em posição fetal. Dorme. Parece sentir frio, apesar do calor. Comeu o arroz e tomou a água. Assim que a toca com o pé, ela se assusta. Protege a cabeça e se encolhe.

Vai até a casa e busca uns cobertores velhos. Leva-os até o galpão e os dispõe ao lado da fêmea. Leva embora as bacias e as enche com mais água.

Volta para o galpão com as bacias cheias. Fica sentado em um fardo de palha enquanto a olha. Ela se abaixa e toma a água devagar.

Nunca olha para ele. Sua vida é o medo, pensa.

Sabe que pode criá-la, que é permitido. Sabe que há pessoas que criam cabeças domésticas e as vão comendo enquanto estão vivas, aos poucos. Dizem que a carne é mais saborosa, bem fresca, garantem. Já estão à venda os manuais que explicam como, quando e onde fazer o corte para que o produto não morra antes do tempo.

Possuir escravos é proibido. Lembra o caso de uma família que foi denunciada e processada pela posse de dez fêmeas que trabalhavam em uma oficina clandestina. Estavam marcadas. Compraram-nas em um criadouro e as treinaram. Sacrificaram todos eles no Matadouro Municipal. Fêmeas e família se transformaram em carne especial. A imprensa cobriu o caso durante semanas. Lembra de uma frase que todo mundo repetia escandalizado: "A escravidão é barbárie".

Ela não é ninguém e está em meu galpão, pensa.

Não sabe o que fazer com essa fêmea. Está suja. Precisaria lavá-la, em algum momento.

Fecha a porta do galpão. Vai para a casa. Tira a roupa e entra no chuveiro. Poderia vendê-la e resolver o problema de vez. Poderia criá-la, inseminá-la, começar com um pequeno lote de cabeças, tornar-se independente do frigorífico. Poderia fugir, deixar tudo, abandonar seu pai, sua mulher, a criança morta, o berço que aguarda ser destroçado.

8

Desperta com a ligação de Nélida. Dom Armando se descompensou, querido. Nada grave, só queria que você soubesse. Não precisa vir, mas seria bom. Você sabe que seu pai fica feliz, embora às vezes não o reconheça. Sempre que você vem, os episódios cessam por vários dias. Ele agradece pelo aviso e diz que irá em breve, em algum momento. Desliga e fica na cama pensando que não queria começar o dia dessa forma.

Coloca a chaleira no fogo e se veste. Enquanto toma o primeiro chimarrão, liga para a reserva de caça. Explica que teve uma emergência familiar e que vai ligar novamente para reagendar a visita. Depois liga para Krieg e diz que vai demorar um pouco mais com o itinerário. Krieg responde que pode levar o tempo que precisar, mas que o espera para entrevistar dois possíveis candidatos.

Pensa alguns segundos e liga para a irmã. Diz que o pai está bem, que deveria visitá-lo. Ela responde que está ocupada, que educar dois filhos e cuidar da casa toma todo o seu tempo, que vai em breve. Que morando na cidade é mais difícil, porque o asilo fica longe e ela tem medo de voltar depois do toque de recolher. Diz isso com desprezo, como se o mundo tivesse culpa por suas escolhas. Depois muda o tom e fala que há muito não se encontram, que queria convidá-lo para jantar, pergunta por Cecilia, se continua na casa da mãe dela. Ele diz que ligará novamente, em outro momento, e desliga.

Abre o galpão. A fêmea está deitada sobre os cobertores. Acorda assustada. Ele leva as bacias embora. Volta com água e ração balanceada. Vê que ela encontrou um lugar para fazer suas necessidades. Na volta terei que limpar, pensa, cansado. Quase não a olha, porque fica aborrecido com essa fêmea, essa mulher nua em seu galpão.

Entra no carro e vai direto para o asilo. Nunca avisa para Nélida que irá. Ele está pagando pelo asilo melhor e mais caro da região e considera que tem direito de ir sem avisar.

O asilo fica no caminho de sua casa à cidade. Está localizado em uma zona residencial de bairros privados. Sempre que vai, faz uma parada uns quilômetros antes.

Estaciona e anda até a porta do zoológico abandonado. As correntes que fechavam a grade estão quebradas. A grama está crescida, as jaulas vazias.

Ele sabe que é arriscado andar ali porque ainda há animais soltos. Não se importa. Os grandes massacres aconteceram nas cidades; porém, durante muito tempo, houve pessoas que se aferraram aos seus animais de estimação e não estavam dispostas a matá-los. Dizem que algumas dessas pessoas morreram pelo vírus. Outras abandonaram seus cachorros, gatos, cavalos no meio do campo. Com ele nunca acontecera nada, mas dizem que é perigoso andar só, sem arma. Há matilhas, estão com fome.

Anda até a jaula dos leões. Senta-se no banco de pedra. Pega um cigarro e o acende. Olha o espaço deserto.

Lembra-se de quando o pai o levou. Seu pai não sabia o que fazer com aquele menino que não chorava, que não dissera uma palavra desde a morte da mãe. A irmã era bebê, era cuidada por babás, alheia a tudo.

O pai levava-o ao cinema, à praça, ao circo, a qualquer lugar longe da casa, longe das fotos da mãe sorridente com o diploma de arquiteta, longe da roupa que continuava pendurada nos cabides, da reprodução do quadro de Chagall que ela tinha escolhido para pôr em cima da cama. Paris através da janela: há um gato com rosto de humano, um homem voando de paraquedas triangular, uma janela colorida, um casal em tinta preta e um homem de dois rostos com um coração na mão. Tem algo que fala da loucura do mundo, uma loucura que pode ser sorridente, impiedosa, embora todos estejam sérios. Hoje, o quadro está em seu quarto.

    O zoológico sempre estava lotado de famílias, maçãs do amor, algodão-doce rosa, amarelo, azul, risadas, balões, bichinhos de pelúcia de cangurus, baleias, ursos. O pai dizia: "Olhe, Marcos, um macaco-de-cheiro. Olhe, Marcos, uma cobra-coral. Olhe, Marcos, um tigre". Ele olhava sem dizer nada, porque sentia que o pai não tinha palavras, que essas que dizia estavam ausentes. Intuía, sem saber ao certo, que essas palavras estavam prestes a se quebrar, que eram sustentadas por um fio transparente e muito fino.

    Quando chegaram à jaula dos leões, o pai ficou olhando sem dizer nada. As leoas descansavam ao sol. O leão não estava ali. Alguém jogou uma bolacha para os animais. As leoas olharam indiferentes. Ele pensava que estavam muito longe, que a única coisa que queria naquele momento era pular dentro da jaula, deitar-se entre as leoas e dormir. Teria gostado de acariciá-las. As crianças gritavam, rosnavam, tentavam rugir, as pessoas se aglomeravam, pediam licença. Mas, de repente, todos ficaram em silêncio. O leão saiu das sombras, de alguma caverna, e andou com muita lentidão. Ele olhou para o pai e disse: "Papai, o leão, aí está o leão, viu?". O pai estava com a cabeça baixa, desfazendo-se no meio da multidão. Não estava chorando, mas ele conseguia ver as lágrimas, ali, atrás das palavras que não podia dizer.

    Termina o cigarro e o joga na jaula. Levanta-se e vai embora.

    Anda devagar até o carro, com as mãos no bolso da calça. Escuta um uivo. Está longe. Fica parado, olhando, para ver se consegue ver algo.

    Chega ao asilo Novo Amanhecer. O casarão está rodeado por um parque bem cuidado, com bancos, árvores e fontes. Contaram-lhe que antes havia patos em um pequeno lago artificial. Hoje, o lago desapareceu. Também os patos.

Toca a campainha. É atendido por uma enfermeira. Nunca recorda os nomes, mas todas se lembram dele. "Sr. Marcos, tudo bem? Entre, entre, que já já traremos dom Armando."

Ele se assegurou de que o asilo fosse atendido exclusivamente por enfermeiras. Nada de cuidadoras ou auxiliares noturnas sem treino nem estudo prévio. Foi lá que conheceu Cecilia.

A primeira coisa que ele sente, cada vez que entra, é um cheiro leve de urina e remédios. O aroma artificial dos fármacos que permitem que aqueles corpos continuem respirando. A limpeza do lugar é impecável, mas ele sabe que o cheiro de urina é quase impossível de eliminar com os velhos usando fraldas. Ele nunca chama os velhos de avós.

Nem todos são avós, nem serão. Apenas são velhos, pessoas que viveram muitos anos, e talvez seja essa sua única conquista.

Conduzem-no até a sala de espera. Oferecem-lhe algo para tomar. Senta-se em uma poltrona em frente a um janelão enorme que dá para o jardim. Ninguém caminha pelo jardim sem proteção. Alguns usam um guarda-chuva. Os pássaros não são violentos, mas as pessoas têm pânico deles. Um pássaro preto pousa em um arbusto pequeno. Ouve um sobressalto. Uma senhora, uma velha, uma paciente do asilo olha para ele assustada. O pássaro voa e a velha murmura algo, como se pudesse se proteger com as palavras. Depois adormece no lugar. Parece que acabaram de lhe dar banho.

Lembra-se do filme de Hitchcock, *Os pássaros*, de como havia ficado impactado quando assistira e de como se lamentou quando o proibiram.

Lembra-se de quando conheceu Cecilia. Ele estava sentado nessa poltrona, esperando o pai. Como Nélida não estava, foi ela quem levou o pai. Nessa época, o pai caminhava, falava, tinha certa lucidez. Quando ele ficou em pé e a viu, não sentiu nada especial. Mas, quando ela começou a falar, ele prestou atenção. Aquela voz. Ela falava da dieta especial para dom Armando, de como estavam cuidando da pressão dele, dos constantes *check-ups* que faziam, de que o pai estava mais tranquilo. Ele via um monte de luzes ao redor, sentia que aquela voz podia elevá-lo. Com aquela voz, ele podia sair do mundo.

Desde que aconteceu aquilo com o bebê, as palavras de Cecilia têm buracos negros, engolem-se a si mesmas.

Há alguma televisão ligada, sem som. Transmitem um programa antigo, em que os participantes têm de matar gatos a pauladas. Arriscam-se a morrer para ganhar um carro. As pessoas aplaudem.

Pega um folheto do asilo. Estão na mesinha de centro, do lado das revistas. Na capa há um homem e uma mulher sorrindo. São velhos, mas nem tanto. Antes os folhetos mostravam velhos correndo felizes por um campo ou sentado em um parque com muito verde. Hoje o fundo é neutro. Mas eles sorriem como antes. Em vermelho, dentro de um círculo, consta a frase "Garantimos segurança 24 x 7". Sabe-se que nos asilos públicos a maior parte dos velhos, ao morrerem ou quando os deixam morrer, é vendida no mercado ilegal. É a carne mais barata que dá para conseguir, porque é carne seca e doente, cheia de fármacos. Carne com nome e sobrenome. Em alguns casos, os próprios familiares, em asilos privados ou públicos, autorizam a venda do corpo e com isso pagam as dívidas. Já não há mais funerais. É muito difícil controlar que o corpo não seja desenterrado e comido, por isso muitos cemitérios foram vendidos, outros foram abandonados, alguns ficaram como relíquias de um tempo em que os mortos podiam descansar em paz.

Ele não pode permitir que seu pai seja desmanchado.

Da sala de espera, ele consegue ver o salão onde os velhos descansam. Estão sentados, assistindo à televisão. É o que fazem durante a maior parte do tempo. Assistem à televisão e aguardam a morte.

São poucos. Ele se assegurou disso também. Não queria um asilo lotado, com velhos descuidados. Mas também são poucos porque é o asilo mais caro da cidade.

O tempo é asfixiante nesse lugar. As horas e os segundos grudam na pele, perfuram-na. O melhor seria ignorar isso, ainda que não se possa.

Olá, querido Marcos, como vai? Que bom te ver. É Nélida que traz o pai em uma cadeira de rodas. Ela o abraça porque gosta dele, porque todas as enfermeiras conhecem a história do filho dedicado que, ainda por cima, teve a delicadeza de resgatar a enfermeira e se casar com ela.

Depois da morte do bebê, Nélida começou a abraçá-lo.

Ele se agacha, olha nos olhos do pai e segura suas mãos. Diz: "Olá, papai". O pai tem o olhar perdido, desolado.

Levanta-se e pergunta a Nélida: "Como está, melhorou? Sabem por que se descompensou?". Nélida pede que ele se sente. Deixa o pai ao lado da poltrona olhando o janelão. Eles ficam perto, em uma mesa com duas cadeiras. Dom Armando teve outro episódio, querido. Ontem tirou a roupa toda e, enquanto Marta, a enfermeira da noite, foi atender a outro avô, seu pai foi para a cozinha e comeu todo o bolo de aniversário que havíamos preparado para um avô que estava fazendo 90 anos. Ele esconde um sorriso. O pássaro preto levanta voo e pousa em outro arbusto. O pai assinala-o com um gesto de felicidade. Ele se levanta e leva a cadeira de rodas para perto da janela. Quando volta a se sentar, Nélida olha para ele com carinho e pena. Marcos, vamos ter que voltar a amarrá-lo de noite. Ele assente. Você precisa assinar uma autorização. É pelo bem-estar de dom Armando. Sabe que não gosto disso. Seu pai está delicado. Não pode comer qualquer coisa. Aliás, hoje é um bolo, amanhã pode ser uma faca.

    Nélida vai buscar os documentos.

    Seu pai já nem fala. Emite sons. Queixas.

    As palavras estão ali, encapsuladas. Apodrecem por detrás da loucura.

    Ele senta-se na poltrona olhando o janelão. Segura sua mão. O pai olha para ele como se não o conhecesse, mas não tira a mão.

9

Chega ao frigorífico. É um lugar isolado, rodeado de cercas elétricas. Colocaram-nas por conta dos Carniceiros, que tentaram entrar várias vezes. Romperam as cercas quando não tinham eletricidade, treparam nelas, machucaram-se só para conseguir carne fresca. Agora se conformam com as sobras, com os pedaços que não têm utilidade comercial, com a carne adoecida, com o que ninguém comeria, a não ser eles.

Antes de atravessar a porta, permanece por alguns segundos no carro observando o conjunto de edifícios. São brancos, compactos, eficientes. Nada poderia indicar que ali dentro matam humanos. Lembra-se das fotos do matadouro de Salamone, que sua mãe lhe mostrara. O edifício está destruído, mas a fachada continua intacta, com a palavra matadouro como um golpe duro. Enorme, sozinha, a palavra resistiu a desaparecer. Opusera-se a ser despedaçada pelo clima, pelo vento furando a pedra, pelo tempo corroendo a fachada, aquela que sua mãe dizia ter influência *art* déco. As letras cinza se destacam por conta do céu que está por detrás. Não importa a forma que o céu atinja, se azul sufocante ou repleto de nuvens ou preto furioso, a palavra continua ali, a palavra que fala de uma verdade implacável em um belo edifício. "Matadouro" porque ali matavam. Ela queria reformar a fachada do frigorífico El Ciprés, mas o pai se negou porque um matadouro devia ser ignorado, fundir-se com a paisagem e nunca ser chamado pelo que realmente é.

Oscar, o segurança da manhã, está lendo o jornal, mas quando o vê no carro, fecha o jornal rapidamente e o cumprimenta, nervoso. Abre a porta e diz, forçando um pouco a voz: "Bom dia, sr. Tejo, tudo bem?". Ele responde acenando com a cabeça.

Desce do carro e fica fumando. Apoia os braços no teto do carro e permanece quieto, olhando. Passa a mão pela testa suada.

Não há nada ao redor do frigorífico. Nada à primeira vista. Há um espaço truncado com algumas árvores solitárias e um riacho apodrecido. Está com calor, mas fuma sem pressa, alongando os minutos antes de entrar.

Sobe direito para o escritório de Krieg. Alguns funcionários o cumprimentam no caminho. Ele os cumprimenta sem olhar para eles. Dá um beijo em Mari, a secretária. Ela lhe oferece um café e diz: "Daqui a pouco eu levo, Marcos, que bom te ver. O sr. Krieg já estava ficando apreensivo. Sempre que você faz o itinerário ele fica assim". Ele entra no escritório sem bater na porta e senta-se sem pedir licença. Krieg está ao telefone. Sorri para ele e faz um gesto, avisando que desligará logo.

As palavras de Krieg são contundentes, mas escassas. Fala pouco e devagar.

Krieg é dessas pessoas que não foram feitas para a vida. Tem o rosto de um retrato falido, que deu errado, o desenhista o amassou e jogou no lixo. É alguém que acaba por não se encaixar em lugar nenhum. Não tem interesse pelo contato humano, por isso seu escritório foi reformado. Primeiro isolou o espaço, de tal forma que só sua secretária pode escutá-lo e vê-lo. Depois, acrescentou mais uma porta. Essa porta dá para uma escada que vai direto para o estacionamento privado, localizado atrás do frigorífico. Os funcionários o veem pouco, ou nada.

Ele sabe que seu chefe dirige o negócio com perfeição, que é o melhor quando se trata de fazer números e transações. Tratando-se de conceitos abstratos, de tendências de mercado, de estatísticas, Krieg se destaca.

Só tem interesse em humanos comestíveis, as cabeças, o produto. Mas não se interessa pelas pessoas. Detesta cumprimentá-las, manter conversas mínimas sobre o frio ou o calor, ter de ouvir seus problemas, aprender os nomes, registrar se alguém está de licença ou teve um filho. Para isso existe ele, seu braço direito. Ele, de quem todos gostam e respeitam, porque ninguém o conhece, não de verdade. Poucos sabem que perdeu um filho, que sua mulher foi embora, que seu pai está desabando em um silêncio obscuro e demencial.

Ninguém sabe que é incapaz de matar a fêmea em seu galpão.

10

Krieg desliga.

— Estou com dois candidatos esperando por você. Não os viu quando entrou?

— Não.

— Quero que você aplique uma prova neles. Só estou interessado em contratar o melhor.

— Perfeito.

— Depois me conte as novidades. Isso é mais urgente.

Ele se levanta para sair, mas Krieg faz um gesto para que se sente.

— Há outro assunto. Encontraram um empregado com uma fêmea.

— Quem?

— Um dos seguranças da noite.

— Não posso fazer nada. Não estão sob minha responsabilidade.

— Comento isso porque vou ter que mudar de empresa de segurança outra vez.

— Como souberam?

— Pelas filmagens. Agora as vemos todas as manhãs.
— E a fêmea?
— Ele a estuprou até a morte. Deixou-a jogada em uma jaula comum, com o resto. Nem sequer a enfiou na jaula certa, é muito imbecil.
— E agora?
— Vigilância Sanitária e boletim de ocorrência pela destruição de um bem móvel.
— E a empresa de segurança tem que restituir o valor da fêmea.
— Sim, isso também, ainda mais porque era uma PGP.

Ele se levanta e sai. Vê Mari caminhando com o café. É uma mulher que parece frágil, mas sabe que, se ele pedisse, ela começaria a abater a fazenda toda, sem tremer qualquer músculo. Faz um gesto para que ela esqueça do café e pede que o apresente aos candidatos. Estão na sala de espera, não os viu quando entrou? Oferece-lhe companhia, mas ele responde que vai sozinho.

Na sala de espera há dois jovens em silêncio. Apresenta-se e pede que o acompanhem. Explica-lhes que farão um breve percurso pelo frigorífico. Enquanto andam em direção à área de descarga, pergunta-lhes por que desejam esse emprego. Não espera respostas elaboradas. Sabe que os candidatos são escassos, que a reposição é permanente, que são poucos os que suportam trabalhar nesse lugar. O incentivo é a necessidade de ganhar dinheiro, porque sabem que é um trabalho bem pago. Mas a necessidade os sustenta por pouco tempo. Preferem ganhar menos e fazer outra coisa que não implique limpar vísceras humanas.

O mais alto responde que necessita da grana, que a namorada ficou grávida e precisa economizar. O outro olha com um silêncio pesado. Demora em responder e diz que foi indicação de um amigo que trabalha em uma fábrica de hambúrguer. Ele não acredita, nem um pouco.

Chegam à área de descarga. Há homens que carregam com pás os excrementos do último gado que chegou. Guardam o excremento em sacolas. Outros lavam os caminhões-jaula e o chão com mangueiras. Todos estão vestidos de branco, com galochas pretas de cano alto. Os homens o cumprimentam. Ele acena com a cabeça sem sorrir. O mais alto tem o impulso de tampar o nariz, mas baixa a mão rapidamente e pergunta por que guardam os excrementos. O outro olha em silêncio. "É para adubo", responde-lhe.

Explica-lhes que aí desce o gado, pesam-no e o marcam. Também os raspam, pois o cabelo se vende. Depois os levam para as jaulas de repouso, onde descansam por um dia. "A carne de uma cabeça estressada fica dura ou com sabor ruim, e se transforma em carne de má qualidade", diz-lhes. "Esse é o momento em que se faz a inspeção *ante-mortem*." "Ante o quê?", pergunta o mais alto. Ele explica que qualquer produto que apresente traços de doença precisa ser retirado. Os dois assentem. "Nós os separamos em jaulas especiais. Se são recuperadas, voltam para a roda do abate e, caso continuem doentes, são descartadas." O mais alto pergunta: "Descartar quer dizer que os sacrificam?". "Sim." "E por que não os devolvem para o criadouro?", pergunta o mais alto. "Porque o transporte é caro. O criadouro é avisado das cabeças descartadas e depois é só fechar as contas." "Por que não são curadas?" "Porque o investimento é muito caro." "Chegam cabeças mortas?", continua perguntando o mais alto. Ele olha para ele com certa surpresa. Os candidatos não costumam fazer esse tipo de perguntas, e acha interessante a novidade. "Poucas, mas às vezes chegam. Nesse caso, a Vigilância Sanitária é avisada e eles vêm recolher as cabeças mortas." Ele sabe que essa última informação é a verdade oficial, portanto, é uma verdade relativa. Sabe (porque assim ordena) que os funcionários deixam algumas cabeças para os Carniceiros, que as carneiam com facões e levam o que podem. Não se importam com que a carne esteja adoecida, arriscam-se porque não podem comprar. Ele faz vista grossa e tenta ter esse gesto de caridade ou de certa piedade. Também faz isso porque é uma forma de manter apaziguados os Carniceiros e a fome. O anseio pela carne é perigoso.

Enquanto caminham pela área das jaulas de repouso, conta-lhes que no início terão que fazer tarefas simples de limpeza e recolha. Conforme demonstrem capacidade e lealdade, vão aprender as outras tarefas.

A área das jaulas de repouso tem um cheiro azedo, penetrante. Ele pensa que esse é o cheiro do medo. Sobem uma escada que dá acesso a uma ponte suspensa, de onde é possível vigiar o gado. Pede-lhes que não falem alto porque as cabeças precisam estar tranquilas, qualquer som abrupto as altera e, se ficam agitadas, são mais difíceis de manipular.

As jaulas estão abaixo. As cabeças ainda estão inquietas pela viagem, embora a descarga tenha sido de manhã cedo. Movem-se assustadas.

Explica-lhes que quando chegam, recebem um banho de aspersão e depois são inspecionadas. Precisam estar em jejum, esclarece, damos apenas uma dieta hídrica para diminuir o conteúdo dos intestinos e assim reduzir o risco de contaminação no momento de, após o sacrifício, manipulá-las. Tenta calcular quantas vezes repetiu essa frase em sua vida.

O outro assinala as cabeças que estão marcadas com uma cruz verde. "O que significam essas marcas verdes no peito?" "São os escolhidos para ir à reserva de caça. Os especialistas que inspecionam as cabeças escolhem as de melhor estado físico. Os caçadores precisam de presas desafiadoras, querem persegui-las, não têm interesse em alvos fixos." "Claro, por isso a maioria é macho", diz o mais alto. "Sim, as fêmeas geralmente são submissas. Testaram com fêmeas prenhes e o resultado foi bem diferente, porque se tornam ferozes. De vez em quando nos pedem dessas." "E aqueles de cruzes pretas?", pergunta o outro. "Para o laboratório." O outro tenta dizer mais alguma coisa, mas ele continua andando. Não pensa em contar nada sobre esse lugar, sobre o Laboratório Valka, e, mesmo se quisesse contar, não poderia.

Os funcionários que inspecionam o gado cumprimentam-no das jaulas. "Amanhã, vão transferir os recém-chegados para as jaulas de cor azul, e daí eles vão direto para o abate", diz-lhes, enquanto descem a escada e andam até a sala de boxes.

O outro se demora olhando as cabeças das jaulas azuis. Faz um sinal para que ele se aproxime e pergunta se aquelas cabeças serão sacrificadas nesse dia. Ele responde que sim. O outro as contempla em silêncio.

Antes de chegarem à área dos boxes, passam por algumas jaulas de cor vermelha. São jaulas amplas e, em cada uma delas, há só uma cabeça. Antes de perguntarem, ele explica que essa é carne de exportação, são cabeças da Primeira Geração Pura. "É a carne mais cara do mercado, porque a criação leva muitos anos." Precisa explicar que o resto da carne é modificada geneticamente para acelerar o crescimento e atingir maior rentabilidade. "Então, a carne que comemos é totalmente artificial? É carne sintética?", pergunta o mais alto. "Bem, não. Não diria que é artificial nem sintética. Diria que é modificada. O sabor não é tão diferente do da carne PGP, embora a carne PGP seja de alta qualidade, para paladares exigentes." Os dois candidatos ficam parados, em silêncio, olhando as jaulas nas quais as cabeças têm o corpo todo pintado com as letras PGP. Uma sigla para cada ano de crescimento.

O mais alto está um pouco pálido. Ele acha que o rapaz não vai suportar o que virá em seguida, provavelmente desmaiará ou vomitará. Pergunta-lhe se está se sentindo bem. "Sim, bem, bem", responde. Sempre acontece o mesmo com o candidato mais fraco. Precisam da grana, mas não é o suficiente.

Ele sente um cansaço que poderia matá-lo, mas continua andando.

11

Entram na zona dos boxes, porém ficam na sala de descanso, que tem um janelão com vista para a o box de insensibilização. O lugar é tão branco que os cega.

O mais alto senta-se e o outro pergunta por que não podem entrar na sala. Ele responde que apenas o pessoal autorizado com roupa de trabalho regulamentada tem acesso, pois tomam todas as providências para não contaminar a carne.

Sergio, um dos abatedores, cumprimenta-o e entra na sala de descanso. Está vestido de branco, de galochas pretas, máscara, avental de plástico, capacete e luvas. Abraça-o. "Tejo querido, onde você estava?" "Fazendo o itinerário com os clientes e fornecedores. Venha, vou te apresentar."

De vez em quando, ele bebe cerveja com Sergio. Ele o considera um sujeito autêntico que não olha para ele com um sorriso torto por ser o braço direito do chefe, que não fica pensando em quais vantagens pode tirar, que não tem problemas em dizer o que pensa. Quando o bebê faleceu, Sergio não olhou para ele com pena nem disse "Leo agora é um anjinho", nem o olhou em silêncio sem saber o que fazer, nem o evitou, nem o tratou de maneira diferente. Abraçou-o e o levou a um bar, embebedou-o sem parar de contar piadas até que os dois choraram de gargalhar. A dor continuou intacta, mas ele soube que tinha um amigo. Uma vez, perguntou por que Sergio trabalhava de marreteiro. Ele respondeu que eram as cabeças ou sua família. Que não sabia fazer outra coisa e era bem pago. Que, a cada vez que sentia remorso, pensava em seus filhos e na vida melhor que estavam levando graças a esse trabalho. Disse-lhe que a carne original ajudou a controlar a superpopulação, a pobreza e a fome, ainda que não a tenha erradicado. Disse que cada um tem uma função nessa vida, que a função da carne era ser sacrificada e depois comida. Disse que, graças ao seu trabalho, as pessoas eram alimentadas e ele se orgulhava disso. E disse mais, porém ele já não conseguia ouvir.

Saíram para comemorar quando a filha mais velha de Sergio entrou na universidade. Ele se perguntou, enquanto brindavam, quantas cabeças tinham pagado a educação dos filhos de Sergio, quantas marretadas ele teve que dar na vida. Ofereceu-lhe que fosse seu braço direito, mas Sergio respondeu categórico: "Prefiro os golpes". Ele valorizou essa resposta negativa e não pediu explicações, pois as palavras de Sergio são simples, claras. São palavras sem gume.

Sergio se aproxima dos candidatos e estende-lhes a mão. "Ele faz um dos trabalhos mais importantes, atordoar as cabeças. Com apenas um golpe, ele as desmaia para que depois as degolem. Mostre para eles, Sergio."

Pede aos candidatos para subirem em uns degraus construídos debaixo da janela. Dessa forma, ficam com a altura necessária para ver o que acontece dentro do box.

Sergio entra na sala de boxes e sobe na plataforma. Pega a marreta. Grita: "Pode mandar!". Uma porta guilhotina se abre, e entra uma fêmea nua de pouco mais de vinte anos. Está molhada e tem as mãos amarradas nas costas com uma precinta plástica. Está raspada. O espaço do box é estreito, para ela é impossível se movimentar. Sergio ajusta o grilhão de aço inoxidável que corre por um trilho vertical na altura do pescoço da fêmea, e tranca-o. A fêmea treme, sacode-se, quer se soltar. Abre a boca.

Sergio olha em seus olhos e dá uns tapinhas na sua cabeça que quase parecem uma carícia. Diz-lhe algo que eles não ouvem, ou canta para ela. A fêmea fica quieta, mais calma. Sergio levanta a marreta e golpeia sua testa. O golpe é seco. Tão rápido e silencioso que é demencial. A fêmea desmaia. Seu corpo amolece e, quando Sergio abre o grilhão, o corpo cai. Abre-se a porta basculante e a base do box se inclina, expulsando o corpo, que desliza até o chão.

Um funcionário entra e amarra os pés com correias fixadas às correntes. Corta a precinta plástica que aprisiona as mãos e aperta um botão. O corpo se eleva e é transportado, de cabeça para baixo, para outro quarto através de um sistema de trilhos. O funcionário olha para o quarto de descanso e os cumprimenta com um gesto. Ele não se lembra do nome do homem, mas sabe que o contratou há alguns meses.

O funcionário pega uma mangueira, lava o box e o piso manchados com excrementos.

O mais alto desce dos degraus e senta-se em uma cadeira com a cabeça baixa. Ele pensa: agora vai vomitar. Porém, ele se ergue e se recompõe. Sergio entra sorrindo, orgulhoso de sua demonstração. "E aí, o que acharam? Querem experimentar?" O outro se aproxima e diz: "Sim, eu", mas Sergio solta uma gargalhada e diz: "Não, menino, ainda falta muito para você". O outro parece decepcionado. "Deixe eu explicar, querido. Se você os mata de um golpe, a carne estraga. E se você não os faz desmaiar e eles entram vivos no sacrifício, aí você também estraga a carne. Entendeu?" E abraça o outro enquanto o sacode um pouco, rindo. "Essa molecada de hoje, Tejo! Querem ganhar o mundo e não sabem nem andar." Todos riem, menos o outro. Sergio explica que os novatos usam a pistola de dardo cativo penetrante, "tem menos margem de erro, sabe? Mas a carne não fica tão macia. Ricardo, o outro atordoador que agora está descansando lá fora, usa a pistola e está treinando para usar a marreta. Trabalha aqui há seis meses". E conclui: "Usar a marreta é só para entendedores". O mais alto pergunta o que disse à carne, por que falou com ela. Ele se surpreende porque chama de carne a fêmea atordoada, não a chama de cabeça ou de produto. Sergio responde que cada atordoador tem seu segredo de como acalmá-los antes de os atordoar, e que cada atordoador tem que achar seu jeito. "Por que não gritam?", diz o mais alto. Ele não quer responder, ele queria estar em outro lugar, mas está ali. É Sergio quem responde: "Não têm cordas vocais".

O outro sobe nos degraus e observa a sala dos boxes. Apoia as mãos na janela. Tem ansiedade no olhar, impaciência.

Ele pensa que esse candidato é perigoso. Alguém com tanta vontade de assassinar é alguém instável, alguém que não conseguiria assumir a rotina de matar, o gesto automático e desapaixonado de carnear humanos.

12

Saem da sala de descanso. Explica-lhes que irão para a área de sacrifício. "Vamos entrar?", pergunta o outro. Ele olha sério. "Não", responde. "Não vamos entrar porque, como já disse, não estamos com a roupa regulamentada." O outro olha para o chão e não responde. Enfia as mãos nos bolsos da calça com impaciência. Suspeita que o outro possa ser um falso candidato. De quando em quando aparecem pessoas fingindo ser candidatos só para serem testemunhas da matança. Pessoas que apreciam o processo, enxergando-o como uma curiosidade, como uma anedota colorida para acrescentar à sua vida. Pensa que são pessoas sem a coragem de aceitar e assumir o peso desse trabalho.

    Andam por um corredor com uma janela com vista para a sala de degola. Os funcionários estão vestidos de branco na sala branca. Porém, a aparente imaculabilidade está manchada com toneladas de sangue que cai na canaleta de sangria e respinga nas paredes, nos uniformes, no piso, nas mãos.

As cabeças entram por um trilho automático. Há três corpos içados de cabeça para baixo. Um já fora degolado e os outros aguardam sua vez. Um deles é a fêmea que Sergio acabou de atordoar. O operário pressiona um botão e o corpo que já foi sangrado continua o caminho no trilho, enquanto o outro corpo fica em cima da canaleta. Em um rápido movimento, o homem corta seu pescoço. O corpo treme um pouco. O sangue cai na canaleta. Mancha o avental, a calça e as galochas do operário.

O outro pergunta o que fazem com o sangue. Ele decide ignorá-lo e não responde. O mais alto diz: "Usam para fazer fertilizante". Ele o olha. O mais alto sorri e diz a ele que seu pai trabalhou pouco tempo em um frigorífico de antigamente, que contou-lhe algumas coisas. Diz a expressão "de antigamente" baixando a cabeça e a voz, como se sentisse tristeza ou resignação. Ele responde que o sangue de vaca era usado para fazer fertilizante. "Esse sangue tem outros usos", porém não esclarece quais.

O outro diz: "É para fazer uma morcela deliciosa, não é?". Ele o olha fixamente e não responde.

O operário se distrai conversando com outro funcionário.

Ele percebe que o operário está demorando muito. A fêmea que Sergio atordoou começa a se mexer. O operário não a vê. A fêmea se balança devagar, primeiro, e depois com mais força. O movimento é tão violento que consegue desprender os pés das correias, pois estavam frouxas. Cai de um golpe seco. Treme no chão e a pele branca fica manchada com o sangue daqueles que foram degolados antes dela. A fêmea levanta um braço. Tenta ficar de pé. O operário dá meia-volta e a olha com indiferença. Pega uma pistola de dardo cativo e dispara na testa. Volta a içá-la.

O outro se aproxima da janela e assiste à cena com um sorriso de canto de boca. O mais alto tampa a boca.

Ele toca o vidro e o operário se sobressalta. Não o vira e sabe que aquele descuido pode custar seu trabalho. Faz um sinal para que saia. O operário pede que alguém o substitua e sai.

Cumprimenta-o pelo nome, dizendo que isso que acabou de acontecer não se repetirá. "Essa carne morreu com medo e terá um sabor ruim. Você estragou o trabalho de Sergio com essa demora." O operário olha para o chão e diz que foi um descuido, que o desculpasse, que não vai acontecer novamente. Responde-lhe que ficará na seção de triparia até novo aviso. O operário não consegue esconder a cara de nojo, mas assente.

A fêmea que Sergio atordoou já está sangrando. Ainda há mais uma que espera ser degolada.

O mais alto se agacha, fica de cócoras e abraça a cabeça com as mãos. Ele dá um tapinha nas suas costas e pergunta se está bem. O mais alto não responde, apenas faz um gesto pedindo um minuto. O outro continua observando, fascinado, sem perceber o que está acontecendo. O mais alto fica em pé. Está pálido e com pingos de suor na testa. Recupera-se e continua observando.

Observam como o corpo sem sangue da fêmea é levado pelo trilho até que um operário solta as correias dos pés e o corpo cai em um tanque de escaldagem junto a outros cadáveres que flutuam na água fervente. Outro funcionário os afunda com um pau, mexendo-os. O mais alto pergunta se, quando os afundam, os pulmões não se enchem de água contaminada. Ele pensa: "cara inteligente" e explica que sim, pouca água, pois já não respiram, mas que o próximo investimento do frigorífico será uma máquina de escalda por aspersão. "Nessas máquinas, a escalda é individual e vertical", esclarece.

O operário põe um dos corpos que flutuam na plataforma de carga, que se eleva e deposita o corpo na caldeira de escalda que começa a girar, enquanto um conjunto de cilindros rotativos com pás o depilam. Ele continua se impressionando quando vê essa parte do processo. Os corpos giram a toda a velocidade, como se estivessem dançando uma dança esquisita e críptica.

13

Faz um gesto para que o sigam. Irão para a sala de triparia. Enquanto andam devagar, ele comenta que o produto é utilizado quase totalmente. "Praticamente nada se desperdiça." O outro permanece observando como um operário repassa os cadáveres escaldados com um maçarico. Assim, completamente depilados, podem eviscerá-los.

Antes de chegar à sala de triparia, passam pela sala de cortes. Todas as salas são interligadas pelo trilho que vai transportando os corpos para que passem por cada uma das etapas. Pelas janelas compridas, eles podem ver como cortam com uma serra a cabeça e as extremidades da fêmea que Sergio atordoou.

Ficam parados, observando.

Um operário pega a cabeça e a leva para outra mesa, onde extrai os olhos e os coloca em uma bandeja com um cartaz que diz "Olhos". Abre a boca, corta a língua e a deposita em uma bandeja com um cartaz que diz "Línguas". Corta as orelhas e as coloca em uma bandeja com um cartaz que diz "Orelhas". O operário pega uma punção e uma marreta e, com cuidado, vai golpeando a parte inferior da cabeça. Golpeia até romper uma parte do crânio e, com delicadeza, tira o cérebro e o deixa em uma bandeja com um cartaz que diz "Cérebros".

A cabeça, agora vazia, é colocada em um caixote com gelo que diz "Cabeças".

"O que fazem com as cabeças?", pergunta o outro com certa excitação contida. Ele responde de forma automática: "Tem muitos usos. Um deles é enviá-las para o interior, onde preparam cabeça enterrada". O mais alto esclarece: "Nunca provei, mas dizem que são uma delícia. Pouca carne, barata e saborosa, se souberem cozinhá-la".

Outro operário já apanhou as mãos e os pés e os guardou limpos nas gavetas com suas respectivas etiquetas. Os braços e as pernas são vendidos para os açougues, com as peças. Ele explica que todos os produtos são lavados e revisados por inspetores antes da refrigeração. Aponta para um homem, vestido igual ao resto, com uma pasta na qual faz anotações e um carimbo de certificação que às vezes tira e usa.

A fêmea que Sergio atordoou já está esfolada e irreconhecível. Sem a pele e sem as extremidades, está virando uma peça. Observam como um operário levanta a pele, tirada por uma máquina, e a estica com cuidado em gavetas compridas.

Continuam andando. As janelas compridas agora dão vista para a sala intermediária ou de cortes. Os corpos esfolados se movem nos trilhos. Os operários fazem um corte com precisão, do púbis até o plexo solar. O mais alto pergunta por que há dois operários para cada corpo. Ele responde que um faz o corte e o outro costura o ânus para evitar qualquer expulsão que contamine o produto. O outro ri e diz: "Não gostaria de ter esse trabalho". Ele pensa que nem esse trabalho lhe daria. O mais alto também está ficando cansado do outro e o olha com desprezo.

Em uma mesa de aço inoxidável, caem intestinos, estômagos, pâncreas, que os funcionários levam para a sala de triparia.

Os corpos abertos se movem nos trilhos. Em outra mesa, um operário corta a cavidade superior. Tira os rins, o fígado, desprende as costelas, corta o coração, o esôfago e os pulmões.

Continuam andando. Chegam à sala de triparia. Há mesas de aço inoxidável com canos perfurados pelos quais a água escoa. Nas mesas há vísceras brancas. Os operários as movem e as vísceras escorregam na água. Parecem um mar que, em lenta ebulição, se movimenta em um ritmo próprio. Os funcionários as inspecionam, limpam, desentopem, desmantelam, qualificam, cortam, calibram e as guardam. Eles observam como os operários levantam as tripas e as cobrem com camadas de sal para guardá-las em gavetas. Observam como cortam as bordas de gordura mesentérica. Observam como injetam ar comprimido nas tripas para conferir que não tenham furos. Observam como lavam os estômagos e os cortam para retirar um conteúdo amorfo, verde-amarronzado, que é descartado. Observam como limpam os estômagos vazios e rotos, como os secam, os reduzem e os cortam em faixas para formar algo semelhante a uma esponja comestível.

Em outra sala, menor, veem as vísceras vermelhas suspensas em ganchos. Inspecionam, lavam, certificam e as guardam.

Ele sempre se pergunta como será passar a maior parte do dia guardando corações humanos em uma caixa. Em que pensarão esses operários? Estarão conscientes de que isso que seguravam em suas mãos estava pulsando há pouco tempo? Será que se importam com isso? E depois pensa que ele também passa grande parte da vida supervisionando como um grupo de pessoas, sob sua ordem, degola, eviscera e corta mulheres e homens com muita naturalidade. Todos podem se habituar a quase qualquer coisa, exceto à morte de um filho.

Quantas cabeças por mês ele tem de matar para pagar o asilo do pai? Quantos humanos ele tem de sacrificar para esquecer como deitou Leo no berço, agasalhou-o, cantou uma canção de ninar e no dia seguinte ele amanheceu morto? Quantos corações precisam ser guardados em caixas para que a dor se converta em outra coisa? Mas a dor, intui, é a única coisa que o faz continuar respirando.

Sem a tristeza, não lhe resta nada.

14

Ele explica aos candidatos que estão chegando ao final do processo de abate. Irão para a sala onde as peças são divididas. De uma pequena janela quadrada podem ver uma sala mais estreita, porém branca e iluminada como as anteriores. Dois homens com motosserras, vestidos com o uniforme regulamentado, com capacetes e galochas pretas, cortam os corpos ao meio. Usam viseiras plásticas que protegem o rosto. Parecem concentrados. Outros funcionários inspecionam e guardam as colunas vertebrais retiradas antes do corte.

Um dos homens da motosserra olha para ele e não o cumprimenta. É Pedro Manzanillo. Pega a motosserra e corta um corpo com mais ímpeto, parece estar com raiva, mas corta com precisão. Ele sabe que sua presença sempre altera Manzanillo. Tenta não cruzar com ele, mas é inevitável.

Explica aos candidatos que depois do corte, as meias peças são lavadas, inspecionadas, seladas, pesadas e depositadas na câmara de resfriamento para receber frio suficiente. "Mas, com o frio, a carne não fica dura?", pergunta o outro. Ele explica os processos químicos pelos quais a carne fica macia graças ao frio. Cita palavras como ácido lático, miosina, ATP, glicogênio, enzimas. O outro assente, como se compreendesse. "Nosso trabalho acaba quando as diferentes partes do produto são transportadas até os respectivos destinos", diz, encerrando o percurso e saindo para fumar.

Manzanillo deixa a motosserra sobre uma mesa e olha para ele novamente. Ele sustenta o olhar porque sabe que fez o que tinha de ser feito e não sente culpa. Manzanillo trabalhava com outro manipulador de motosserras a quem chamavam Enci, porque era como uma enciclopédia. Sabia o significado de palavras difíceis, nos descansos, sempre estava lendo um livro, e quando, no início, riam dele, contava a sinopse do que estava lendo e todos escutavam fascinados. Enci e Manzanillo eram como irmãos. Moravam no mesmo bairro, as mulheres e os filhos eram amigos. Chegavam juntos ao trabalho e formavam uma ótima equipe. Mas Enci começou a mudar. Pouco a pouco. No início, só ele percebeu. Estava mais calado. Nos descansos, ficava observando o gado nas jaulas de repouso. Perdeu peso. Tinha olheiras. Começou a se demorar no corte das peças. Adoecia e faltava ao trabalho. Um dia, ele o encarou e perguntou o que estava acontecendo, mas Enci respondeu que nada. No dia seguinte, parecia que tudo tinha voltado ao normal e, durante algum tempo, ele pensou que estava bem. Até que, uma tarde, Enci avisou que tiraria um descanso, mas levou com ele a motosserra sem que ninguém percebesse. Foi até as jaulas de repouso e começou a abri-las. Qualquer operário que se aproximava era ameaçado com a motosserra. Algumas das cabeças escaparam, mas a maioria permaneceu nas jaulas. Estavam confusas e aterrorizadas. Enci gritava para elas: "Vocês não são animais. Vão matar vocês. Corram. Precisam escapar", como se as cabeças pudessem entender o que ele dizia. Alguém conseguiu golpeá-lo com uma marreta e ele caiu inconsciente. Sua ação subversiva só atrasou o abate por algumas horas. Os únicos beneficiados foram os empregados, que conseguiram descansar das tarefas e se distrair com a interrupção. As cabeças que escaparam não chegaram longe e foram devolvidas às jaulas.

Teve que demitir Enci, pois alguém que se quebra não pode ser consertado. No entanto, conversou com Krieg para lhe dar assistência e subsidiar atendimento psicológico, mas, um mês depois, Enci se matou com um tiro. A mulher e os filhos tiveram de sair do bairro e, desde esse dia, Manzanillo olha para ele com verdadeiro ódio. Ele o respeita por isso. Ficará preocupado quando ele parar de observá-lo, quando o ódio não sustentá-lo mais. Porque o ódio dá forças para seguir adiante, mantém a estrutura frágil, entrelaça as linhas para que o vazio não tome conta de tudo. Ele gostaria de poder odiar alguém pela morte de seu filho. Mas a quem pode culpar por uma morte súbita? Tentou odiar Deus, mas ele não acredita em Deus. Tentou odiar a humanidade toda por ser tão frágil e efêmera, mas não conseguiu sustentar o ódio, pois odiar a todos é o mesmo que odiar a ninguém. Também gostaria de se quebrar como Enci, mas seu desmoronamento nunca chega a acontecer.

O outro está calado, com o rosto grudado na janela, observando como cortam os corpos. Tem um sorriso que já não dissimula. Ele gostaria de sentir isso. Gostaria de poder sentir felicidade, ou excitação, quando decide promover um operário do posto de lavar o sangue dos pisos para classificar e guardar órgãos em caixas. Ou gostaria, pelo menos, de que tudo fosse indiferente para ele. Observa melhor e vê que o outro tem um celular escondido na jaqueta. Como é possível, se antes de entrar são revistados pelo pessoal de segurança, que pedem os celulares e avisam que não podem filmar nem tirar fotos? Aproxima-se e toma o celular, atira-o ao chão e o quebra. Segura-o pelo braço com força e diz em seu ouvido: "Não volte nunca mais. Vou mandar seus dados e sua foto para todos os frigoríficos que conheço". O outro se vira e em nenhum momento há surpresa, nem vergonha, nem palavras. Olha para ele descaradamente e sorri.

15

Leva os candidatos até a saída. Antes, chama o chefe de segurança e pede que leve o outro. Explica o que aconteceu e o chefe de segurança diz para ficar tranquilo, que cuidará dele. Ele diz que depois precisam conversar, que isso não poderia ter acontecido. Toma nota mental para conversar com Krieg. A terceirização da segurança foi um erro, já dissera, mas terá de dizer outra vez.

O outro já não sorri, porém tampouco resiste quando o levam.

Despede-se do mais alto com um aperto de mãos e diz: "Entraremos em contato". O mais alto agradece sem muita convicção. Acontece sempre, pensa, mas outra reação soaria estranha.

Ninguém realmente lúcido ficaria feliz em fazer esse trabalho.

16

Fuma do lado de fora antes de subir para entregar os relatórios a Krieg. Seu celular toca. Atende dizendo "Oi, Graciela" sem olhar a tela, porém do outro lado há um silêncio grave, intenso. Sabe, então, que é Cecilia.

— Olá, Marcos.

É a primeira vez que ela liga desde que foi para a casa da mãe. Parece abatida.

— Olá.

Sabe que será uma conversa difícil. Dá outra tragada no cigarro.

— Como você está?

— Estou aqui no frigorífico. E você?

Ela demora a responder, demora muito.

— Sim, posso ver que você está aí.

Mas não está olhando para a tela. Permanece em silêncio por alguns segundos e, sem olhar em seus olhos, diz:

— Mal, continuo mal. Acho que ainda não consigo voltar.

— Por que não me deixa te visitar?

— Preciso ficar sozinha.

— Estou com saudades.

As palavras são um buraco negro, um buraco que absorve qualquer som, qualquer partícula, qualquer respiração. Ela não responde. Ele diz:

— Aconteceu comigo também. Eu também o perdi.

Ela chora em silêncio. Cobre a tela com a mão e ele a ouve sussurrar "não aguento mais". Há um abismo, uma queda livre com arestas. Ela passa o telefone para a mãe.

— Oi, Marcos. Ela está muito triste, desculpa.

— Tudo bem, Graciela.

— Logo estará melhor, beijo.

E desligam.

Ele permanece um tempo sentado. Os funcionários passam e olham para ele, mas ninguém o incomoda. Essa é uma das áreas de descanso, ao ar livre, onde é permitido fumar. Observa como as copas das árvores se movem com o vento, aliviando-o do calor. Gosta do ritmo, dos barulhos das folhas esbarrando entre si. São poucas, quatro árvores no meio do nada, mas estão grudadas umas nas outras.

Sabe que Cecilia nunca melhorará. Sabe que está quebrada, seus pedaços não têm possibilidade de se unir.

A primeira coisa de que se lembra é do medicamento na geladeira. De como o transportaram em um recipiente especial para controlar a cadeia de frio, iludidos, muito endividados. Lembra-se da primeira injeção que ela pediu que aplicasse em sua barriga. Ela tinha aplicado milhões, bilhões de injeções, mas queria que ele inaugurasse esse ritual, a origem de tudo. A mão dele tremia um pouco porque não queria que sentisse dor, mas ela dizia: "Vamos, amor, aplique, vá com vontade, não tem problema". Ela segurou uma dobra de sua barriga e ele aplicou a injeção e ela sentiu dor, sim, porque o medicamento estava frio e Cecilia sentia como entrava em seu corpo, mas fingiu com um sorriso porque era o começo da possibilidade, do futuro.

As palavras de Cecilia eram como um rio de luzes, um fluxo aéreo, pareciam vaga-lumes resplandecentes. Ela dizia, quando ainda não sabia que teriam de recorrer aos tratamentos, que queria que seus filhos tivessem os olhos dele, mas com o nariz dela, a boca dele, mas com o cabelo dela. Ele ria porque ela ria e, com o riso dela, o pai e o asilo, o frigorífico e as cabeças, o sangue e os golpes secos do atordoador sumiam.

Outra imagem que aparece como explosão é a cara de Cecilia quando abriu o envelope e viu os resultados do exame antimulleriano. Não compreendia, um valor tão baixo? E olhava o papel sem poder dizer nada, até falar bem baixinho, "sou jovem, deveria produzir mais óvulos", disse perplexa porque ela, que era enfermeira, sabia que a juventude não garantia nada. Olhou para ele pedindo ajuda com os olhos e ele pegou o papel, dobrou-o e o deixou na mesa e disse para não se preocupar, que tudo daria certo. Ela começou a chorar, ele a abraçou e deu-lhe beijos na testa e no rosto enquanto dizia "vai dar tudo certo", embora soubesse que não seria assim.

Depois vieram mais injeções, pílulas, óvulos de má qualidade, banhos e telas com mulheres desnudas e a pressão de encher o copo plástico, batizados que não foram, a pergunta "e aí, para quando é o primeiro filho?" que se repetia até a exaustão, salas de cirurgia onde não o deixaram entrar para segurar a mão dela, mais dívidas, bebês de outros, dos que podiam ter, retenção de líquidos, mudanças de humor, discussões sobre a possibilidade de adotar, ligações do banco, aniversários infantis dos quais queriam escapar, mais hormônios, o cansaço crônico e mais óvulos sem fertilizar, choros, palavras ofensivas, dias das mães em silêncio, a esperança de um embrião, a lista de nomes possíveis: Leonardo se fosse homem, Aria se fosse mulher, testes de gravidez jogados no lixo com impotência, brigas, a busca de uma doadora de óvulos, as dúvidas sobre a identidade genética, cartas do banco, a espera, medos, a aceitação de que maternidade não tem a ver com os cromossomos, a hipoteca, a gravidez, o nascimento, a euforia, a felicidade, a morte.

17

Volta tarde para casa.

Abre a porta do galpão. Vê a fêmea encolhida, dormindo. Troca a água e repõe a comida. Ela acorda assustada pelo barulho da ração balanceada caindo no prato metálico. Não se aproxima. Observa-o atemorizada.

Pensa que precisa dar um banho nela, mas não agora, não hoje. Hoje tem algo mais importante a fazer.

Sai do galpão e deixa a porta aberta. A fêmea segue-o devagar. A corda a detém na porta do galpão.

Entra na casa e vai direto para o quarto do filho. Apanha o berço e o deixa no meio da grama. Entra no galpão para buscar o machado e a querosene. A fêmea permanece em pé, observando-o.

Fica paralisado ao lado do berço em meio à noite estrelada. As luzes no céu, com toda essa beleza atroz, o esmagam. Entra na casa e abre uma garrafa de uísque.

Fica ao lado do berço e não chora. Observa-o e toma da garrafa. Primeiro usa o machado. Precisa destroçá-lo. Quebra-o enquanto se lembra dos pezinhos de Leo em suas mãos, quando nasceu.

Depois joga querosene e acende um fósforo. Bebe mais. O céu parece um oceano em silêncio.

Olha como os desenhos pintados à mão vão desaparecendo. O urso e o pato abraçados se queimam, perdem a forma, evaporam.

Vê a fêmea observando-o. Parece fascinada pelo fogo. Entra no galpão e a fêmea se encolhe, amedrontada. Fica de pé se balançando. A fêmea treme. E se ele também destroçá-la? É sua, pode fazer o que quiser. Pode matá-la, pode abatê-la, pode fazê-la sofrer. Ele pega o machado, olha para ela em silêncio. Essa fêmea é um problema. Levanta o machado. Aproxima-se e corta a corda.

Sai e fica deitado na grama sob o silêncio daquelas luzes no céu, milhões, geladas, mortas. O céu é de vidro, um vidro opaco e sólido. A lua parece um Deus estranho.

Já não se importa que a fêmea escape. Já não se importa que Cecilia volte.

A última coisa que vê é a porta do galpão e a fêmea, aquela mulher, que o observa. Parece chorar. Mas ela não pode entender o que está acontecendo, não sabe o que é um berço. Não sabe de nada.

Quando restam apenas brasas, ele já está adormecido na grama.

18

Abre os olhos, mas volta a fechá-los. A luz o fere. Sua cabeça dói. Está com calor. Sente pontadas na têmpora direita. Permanece quieto, tentando se lembrar por que está fora de casa. Uma imagem difusa vem à sua mente. Uma pedra no peito. Essa é a imagem. É o sonho que teve. Senta-se com os olhos ainda fechados. Tenta abri-los, mas não consegue. Apoia a cabeça nos joelhos e os abraça. Permanece quieto por alguns segundos. Sua mente está em branco, até que se lembra do sonho com clareza aterrorizante.

Entra nu em um quarto vazio. As paredes estão manchadas de umidade e de algo marrom que parece sangue. O piso está sujo e quebrado. O pai está em um canto, sentado em um banco de madeira. Está nu e olha para o chão. Ele tenta se aproximar, mas não consegue se mexer. Tenta chamá-lo, mas não consegue falar. No outro canto há um lobo comendo carne. A cada olhar seu, o lobo levanta a cabeça e rosna, mostrando-lhe os dentes. O que o lobo está comendo se mexe, está vivo. Observa melhor. É seu filho, que chora sem emitir som algum. Desespera-se. Quer salvá-lo, mas está imóvel, mudo. Tenta gritar. O pai se levanta e caminha em círculos pelo quarto, sem olhar para ele, sem olhar para o neto sendo despedaçado pelo lobo. Ele chora sem lágrimas, grita, quer sair do corpo, mas não consegue. Um homem aparece com uma motosserra. Poderia ser Manzanillo, porém não consegue ver seu rosto. Está borrado. Há uma luz, um sol suspenso no teto. O sol se move, formando uma elipse de luz amarela. Deixa de pensar no filho, como se nunca tivesse existido. O homem que poderia ser Manzanillo corta seu peito. Abre-o. Ele não sente nada. Examina se o trabalho foi bem feito. Estende a mão para parabenizá-lo. Sergio entra e observa-o com atenção. Parece bem concentrado. Não fala com ele, agacha-se e enfia a mão em seu peito. Vasculha, move os dedos, remexe. Arranca-lhe o coração. Come um pedaço. O sangue escorre da boca. O coração continua batendo, mas Sergio o atira no chão. Enquanto o esmaga, diz-lhe ao ouvido: "Não há nada pior do que não poder enxergar a si mesmo". Cecilia entra no quarto com uma pedra preta. Tem o rosto de Spanel, mas ele sabe que é Cecilia. Sorri. O sol se move mais rápido. A elipse aumenta. A pedra brilha. Pulsa. O lobo uiva. O pai senta-se olhando para o chão. Cecilia abre mais seu peito e deposita ali a pedra. Ela dá meia-volta, ele não quer que se vá. Tenta chamá-la, mas não consegue. Cecilia olha para ele com felicidade, agarra uma marreta e o atordoa, bem no centro da testa. Ele cai, mas o chão se abre e continua caindo porque a pedra do peito o afunda em um abismo branco.

 Levanta a cabeça e abre os olhos. Volta a fechá-los. Nunca se lembra dos sonhos, não com tanta clareza. Cruza as mãos na nuca. Foi apenas um sonho, pensa, mas é atravessado por uma sensação de insegurança. Um medo arcaico.

 Olha para o lado e vê as cinzas do berço. Olha para o outro lado e vê a fêmea deitada bem perto de seu corpo. Levanta-se em sobressalto, mas se desequilibra e volta a sentar-se. O que eu fiz? Por que está solta? Por que não escapou? O que faz dormindo a meu lado?

 Dorme encolhida. Parece tranquila. A pele branca da fêmea brilha com o sol. Vai tocá-la, quer tocá-la, mas a fêmea treme um pouco, como se estivesse sonhando, e ele retira a mão. Olha a testa dela, marcada a fogo. O símbolo de propriedade, de valor.

Olha o cabelo liso que ainda não foi cortado e vendido. É longo e está sujo.

Há uma certa pureza nesse ser impossibilitado de falar, pensa, enquanto com um dedo percorre o contorno do ombro, de um braço, do quadril, das pernas até chegar aos pés. Não a toca. O dedo está a um centímetro da pele, a um centímetro das siglas PGP espalhadas pelo corpo todo. É belíssima, pensa, mas tem uma beleza inútil. Não é porque é bela que será mais saborosa. Não se surpreende com esse pensamento, nem sequer se fixa nele. É o que pensa sempre que se depara com uma cabeça que chama sua atenção no frigorífico. Alguma fêmea que se destaca dentre as tantas que passam por lá todos os dias.

Deita-se a seu lado, bem perto, sem encostar nela. Sente o calor do corpo, a respiração lenta, pausada. Aproxima-se mais um pouco. Respira no ritmo dela. Lento, mais lento. Sente seu cheiro. É forte porque está suja, mas ele gosta, parece o cheiro inebriante do jasmim, selvagem e agudo, alegre. Sua respiração se acelera. Algo o excita, essa proximidade, essa possibilidade.

Levanta-se de repente. A fêmea acorda assustada e olha para ele confusa. Ele a segura pelo braço e a leva, sem violência, mas decidido, para o galpão. Fecha a porta e vai até a casa. Toma um banho rápido, escova os dentes, se troca, toma duas aspirinas e entra no carro.

Hoje é seu dia de descanso, porém dirige até a cidade, sem pensar, sem parar.

Chega ao açougue Spanel. É muito cedo e ainda não está aberto. Mas sabe que ela dorme ali. Toca a campainha e o Cachorro o atende. Empurra-o sem cumprimentá-lo e vai direto para o quarto de trás. Fecha a porta. Tranca-a.

Spanel está de pé ao lado da mesa de madeira, bem tranquila, como se estivesse esperando-o. Não parece surpresa. Sustenta uma faca com que corta um braço pendurado em um gancho. Parece muito fresco, como se tivesse sido arrancado de alguém há pouco. Não é um braço de frigorífico porque ainda sangra e tem pele. A mesa tem sangue, o piso também. As gotas caem, lentamente. Um charco está se formando e o som das gotas que caem da mesa, pingando no piso, é a única coisa que se escuta.

Aproxima-se. Parece que vai dizer algo, mas afunda uma das mãos no cabelo de Spanel e a agarra pela nuca. Segura-a com força e a beija. No início, o beijo é voraz, colérico. Ela tenta se opor, mas só um pouco. Ele arranca seu avental manchado de sangue e a beija de novo. Beija-a como se quisesse quebrá-la, mas o faz bem devagar. Desabotoa sua camisa enquanto beija seu pescoço. Ela se contorce, treme, mas não emite nenhum ruído. Ele a vira, empurrando-a contra a mesa. Abaixa suas calças e afasta a calcinha. Ela respira com força, esperando, mas ele decide que a fará sofrer, que quer entrar aí, por trás do frio, das palavras cortantes. Spanel olha para ele pedindo, quase rogando, porém ele a ignora. Anda até o outro extremo da mesa, segura-a pelo cabelo e a obriga a abrir o zíper de sua calça jeans com a boca. O sangue que pinga do braço cai bem perto da borda da mesa, entre os lábios dela e a virilha dele. Tira as botas, depois a calça jeans e, por último, a camisa. Fica nu. Aproxima-se da borda da mesa. Mancha-se com o sangue. Ele indica a ela onde tem que limpar, ali onde a carne está dura. Ela obedece e lambe. Com cuidado, no início, depois com desespero, como se o sangue que mancha tudo fosse pouco e precisasse de mais. Ele puxa seu cabelo com mais força e faz um gesto para que faça mais devagar. Ela obedece.

Ele quer que ela grite, que a pele deixe de ser um mar imóvel e vazio, que as palavras se quebrem, se dissolvam.

Anda até o outro extremo da mesa. Tira a calça dela, arranca a calcinha e abre suas pernas. Escuta um barulho e vê o Cachorro observando da janela da porta. Acha justo que ele faça seu papel de animal fiel, de escravo dócil protegendo sua dona. Desfruta desse olhar cego, da possibilidade de que o Cachorro o ataque de uma vez por todas.

Dá uma única estocada, exata. Ela fica em silêncio, treme, se controla. O sangue continua gotejando da mesa.

O Cachorro quer abrir a porta. Está trancada. Ele consegue ver a raiva dele, sente-a no ar. Vê os dentes nos olhos. Deleita-se com o desespero do Cachorro e, sem parar de olhar para ele, puxa o cabelo de Spanel. Ela, em silêncio, arranha a mesa e suas unhas se mancham de sangue.

Vira-a e se distancia alguns passos. Observa-a. Senta-se em uma cadeira. Spanel se aproxima e para bem em cima de suas pernas. No entanto, ele se levanta de repente, derruba a cadeira pelo impulso, levanta-a e a esmaga com seu corpo contra uma das portas de vidro. Atrás dela há mãos, pés, um cérebro. Ela o beija angustiada, solene.

Spanel abraça a cintura dele com as pernas e, com as mãos, segura seu pescoço. Ele a aperta contra o vidro, mais um pouco. Penetra-a, agarra-lhe o rosto e a olha diretamente nos olhos. Mexe-se devagar sem deixar de olhar nos olhos dela. Ela se desespera, mexe a cabeça, quer se soltar, mas ele não deixa. Ele sente sua respiração entrecortada, quase agonizante. Quando ela para de se contorcer, a acaricia e a beija e continua se movendo lentamente. Então Spanel grita, grita como se o mundo não existisse, grita como se as palavras se partissem ao meio e perdessem todo o seu significado, grita como se, abaixo do inferno, existisse outro inferno, de onde não quer escapar.

Veste-se enquanto Spanel, nua, fuma um cigarro sentada na cadeira. Sorri, mostrando todos os dentes.

O Cachorro continua observando da janela da porta. Spanel sabe que ele está do outro lado, mas o ignora.

Ele vai embora sem se despedir.

19

Entra no carro. Acende um cigarro. O celular toca quando ia ligar o carro. É sua irmã.

— Oi.

— Olá, Marcos, onde você está? Estou vendo prédios. Você está na cidade?

— Sim, vim cuidar de uns trâmites.

— Venha almoçar em casa, então.

— Não, preciso ir ao trabalho.

— Marcos, eu sei perfeitamente que hoje é seu dia de folga, foi o que me disse a senhora que me atendeu, quando liguei para o frigorífico. Não vejo você há muito tempo.

Ele prefere isso a voltar para sua casa onde a fêmea está.

— Está bem, eu vou.

— Vou preparar para você uns rins especiais marinados no limão com ervas, de lamber os beiços.

— Não estou comendo carne, Marisa.

A irmã olha com estranheza e com certa suspeita.

— Você não virou um desses veganoides, não é?
— É uma questão de saúde, indicação médica. Por um tempo só.
— O que aconteceu? Não me assuste, Marcos.
— Nada grave. Meu colesterol está um pouco alto, só isso.
— Bom, vou inventar alguma coisa, mas venha que eu quero te ver.

Não é uma questão de saúde. Desde que o filho faleceu, não voltou a comer carne.

A perspectiva de ver a irmã o deixa angustiado de antemão. É um trâmite que precisa fazer quando não tem mais escolha. Ele não sabe quem é sua irmã, não realmente.

Dirige devagar pela cidade. Há pessoas, mas é uma cidade que parece deserta. Não apenas porque a população se reduziu, mas também porque desde que não existem mais animais há um silêncio que ninguém escuta, mas que está aí, o tempo todo, retumbando. Essa estridência silenciosa se vê nos rostos, nos gestos, na forma em que se olham uns aos outros. Parece que todos vivem detidos, como se esperassem o pesadelo acabar.

Chega à casa da irmã. Desce do carro e toca a campainha com alguma resignação.

— Oi, Marquitos!

As palavras de sua irmã são como caixas repletas de papéis em branco. Ela o abraça de leve e rapidamente.

— Me dê seu guarda-chuva.
— Não tenho.
— Você está maluco? Como não tem?
— Não, não tenho. Moro no meio do campo e não acontece nada com os pássaros, Marisa. Só as pessoas da cidade vivem paranoicas.
— Entre logo, vamos.

A irmã o empurra olhando para os lados. Está preocupada com a ideia de que os vizinhos vejam seu irmão sem guarda-chuva.

Ele sabe que terá de seguir o ritual que consiste em falar de frivolidades, em que Marisa insinue que não pode se ocupar do pai, em que ele responda que não precisa se preocupar, em ver dois estranhos que são os sobrinhos e em que ela acalme sua culpa por mais seis meses, até tudo se repetir.

Dirigem-se até a cozinha.

— Como você está, Marquitos?

Odeia que ela o chame de Marquitos. Usa o diminutivo para expressar uma parcela de carinho que não sente.

— Bem.

— Melhor?

Ela olha para ele com certa pena e condescendência, a única forma de olhá-lo desde que o filho falecera.

Ele não responde. Limita-se a acender um cigarro.

— Desculpa, mas aqui não dá, viu? A casa fica com cheiro ruim.

As palavras de sua irmã se acumulam umas sobre as outras como arquivos que sustentam arquivos, que estão dentro de arquivos. Apaga o cigarro. Quer ir embora.

— A comida está pronta. Estou esperando que Esteban confirme.

Esteban é o marido. Lembra-se dele sempre encurvado e com o rosto cheio de contradições que tenta esconder com um sorriso de canto. Ele acha que é um homem preso nas circunstâncias, com uma mulher que é a cara da simplicidade e com uma vida que se arrepende de ter escolhido.

— Que pena! Esteban acaba de responder que não virá, está com muito trabalho.

— Claro.

— As crianças estão quase chegando da escola.

As crianças são seus dois sobrinhos. Ele acredita que ela nunca teve interesse pela maternidade, que os teve porque ter filhos é um dos projetos que fazem parte do desenvolvimento natural da vida, da mesma forma que fazer uma festa de debutante, casar-se, reformar a casa e comer carne.

Ele não responde. Não tem interesse em vê-los. Ela serve limonada com hortelã e coloca um pires debaixo do copo. Ele toma um gole e abandona o copo. A limonada tem gosto artificial.

— Como você está, Marquitos? De verdade.

Toca levemente a mão dele e inclina a cabeça reprimindo seu pesar, porém não o suficiente para que se dê conta do que ela está sentindo. Ele olha os dedos sobre sua mão e pensa que alguns segundos antes, essa mão estava agarrando a nuca de Spanel.

— Bem.

— Como pode ser que você não use guarda-chuva?

Ele suspira levemente e pensa que, outra vez, será a mesma discussão de todos os anos.

— Não preciso. Ninguém precisa.

— Todos precisam. Há regiões onde não foram construídos os tetos protetores. Você quer morrer?

— Marisa, você pensa mesmo que, se um pássaro cagar na sua cabeça, você morre?

— Sim.

— Repito, Marisa: no campo, no frigorífico, ninguém usa guarda-chuva, ninguém acha isso. Não seria mais lógico pensar que, se um mosquito te pica, e tivesse antes picado um animal, você não poderia contrair o vírus?

— Não, porque o governo disse que não há perigo com os mosquitos.

— O governo quer manipular você, ele existe só para isso.

— Aqui todo mundo usa o guarda-chuva. É o mais lógico.

— Não pensou que, talvez, a indústria do guarda-chuva tenha visto uma oportunidade e fez um acordo com o governo?

— Sempre pensando em conspirações que não existem.

Ela bate o pé no chão. Suave, quase não se ouve o ruído, porém ele a conhece e sabe que esse é o limite dela para manter uma discussão, sobretudo porque não tem pensamento independente, e, portanto, não pode sustentar nenhum argumento.

— Não vamos brigar, Marquitos.

— Não, certo.

Com os dedos, ela abre uma tela virtual na mesa da cozinha. No menu aparece uma foto dos filhos. Toca nela e se abre uma janela na qual se pode ver os filhos, quase adolescentes, andando na rua com um guarda-chuva de ar.

— Quanto falta?

— Estamos chegando.

Fecha a tela virtual e olha para ele impaciente. Não sabe o que falar.

— Eles ganharam esses guarda-chuvas dos avós, nem imagina o quanto eles os mimam. Faz anos que vinham pedindo, mas são tão caros. Que ideia é essa de fazer um guarda-chuva com propulsão de ar? Mas estão felizes, todos os colegas têm inveja deles.

Ele não responde e olha um quadro que projeta imagens, pendurado na cozinha. São naturezas-mortas de má qualidade. Frutas em cestas, laranjas apoiadas em uma mesa, desenhos seriados sem autoria. Perto do quadro, ele vê uma barata que anda pela parede. A barata desce até o balcão e desaparece atrás de um prato com pão.

— As crianças estão encantadas com um jogo virtual que ganharam dos avós. Chama-se "Meu bichinho virtual".

Ele não pergunta nada. As palavras da irmã têm cheiro de umidade estagnada, de confinamento, de frio compactado. Ela continua falando.

— Dá para criar o próprio animal de estimação e acariciá-la de verdade, brincar com ela, dar de comer. Minha mascote se chama Mishi, é um gato branco angorá. Mas é filhote, porque não quero que cresça. Eu gosto dos gatos bebês, como todos.

Ele nunca gostou de gatos. Tampouco dos gatos bebês. Toma um pouco de limonada, dissimula o nojo que lhe causa e olha como passam as naturezas-mortas. Uma das imagens pisca e se pixela. O quadro fica preto.

— As crianças criaram um dragão e um unicórnio. Mas, já sabemos que, daqui a pouco, vão se entediar, como aconteceu com Boby, o cachorro robô que compramos. Poupamos durante tanto tempo para dar esse presente a eles e se cansaram em poucos meses. Boby está na garagem, desligado. Muito bem feito, por sinal, mas não é o mesmo que um cachorro de verdade.

Sua irmã sempre dá a entender que eles não têm dinheiro, que vivem de forma austera. Porém, ele sabe que não é verdade, apesar de o assunto não o interessar, tampouco guarda rancor porque ela não contribui com um centavo para os cuidados do pai.

— Fiz uma salada morna de verduras e arroz. Pode ser?

— Sim.

Ele percebe que perto da lavanderia há uma porta de que não se lembrava. É o tipo de porta usada nas casas que criam cabeças. Dá para ver que é nova, que ainda não foi estreada. Atrás da porta há um quarto refrigerado. Agora entende por que a irmã o convidou. Vai pedir a ele que consiga cabeças mais baratas para criar.

Escutam ruídos vindos da rua e seus sobrinhos entram.

20

Os sobrinhos são gêmeos. Uma menina e um menino. Quase não falam, mas, quando o fazem, comunicam-se entre si com sussurros, com códigos secretos e subentendidos. Ele os observa como se fossem um animal estranho de duas partes separadas, mas ativados por uma só mente. Sua irmã teima em chamá-los de "as crianças", quando todo o mundo os chama de "os gêmeos". A irmã e suas regras idiotas.

Os gêmeos sentam-se à mesa da sala sem cumprimentá-lo.

— Deram oi para o tio Marquitos?

Ele se levanta da mesa da cozinha e anda com passos lentos até a mesa da sala. Deseja acabar o quanto antes o trâmite da visita obrigatória.

— Oi, tio Marquitos.

Falam em uníssono, de forma mecânica, imitando um robô. Contêm o riso, dá para ver em seus olhos. Ficam observando-o, sem pestanejar, esperando que ele reaja. Porém, ele senta-se na cadeira e serve-se com água, sem dar-lhes atenção.

A irmã serve a comida sem perceber nada. Tira seu copo com água e deixa o de limonada. "Esqueceu o copo na cozinha, Marquitos. Fiz a limonada especialmente para você."

Seus sobrinhos não são idênticos, mas essa união encapsulada, enferrujada, dá a eles um ar perturbador. Os gestos inconscientes duplicados, o olhar idêntico, os silêncios compactuados geram desconforto. Ele sabe que eles têm uma linguagem secreta, algo que provavelmente nem a irmã saiba. Essas palavras que só eles entendem transformam os outros em estrangeiros, desconhecidos, analfabetos. Também os filhos de sua irmã são um clichê: os gêmeos sinistros.

A irmã lhe serve a comida sem carne. Está fria. Não tem sabor.

— Está gostosa?

— Sim.

Os gêmeos comem os rins especiais ao limão com ervas, com batatas à provençal e ervilhas. Saboreiam a carne enquanto o olham com curiosidade. O menino, Estebancito, faz um gesto a Maru, a menina. Ele sempre ri quando pensa no dilema catastrófico que teria sido para sua irmã se fosse mãe de duas meninas ou dois meninos. Dar o mesmo nome dos pais aos filhos significa roubar-lhes a identidade, lembrar-lhes a quem pertencem.

Os gêmeos riem, trocam sinais, sussurram. Os dois têm o cabelo oleoso ou sujo.

— Crianças, por favor, estamos comendo com o tio. Não sejam mal-educados. Combinamos com o papai que na mesa não se sussurra, se conversa como adultos, não é?

Estebancito olha para ele com um brilho nos olhos, um brilho repleto de palavras como bosques quebrados e silenciados. Porém, quem fala é Maru:

— Estamos adivinhando o sabor do tio Marquitos.

A irmã segura a faca que usa para comer e a enterra na mesa. O ruído é furioso, veloz. A irmã diz: "Chega". Fala devagar, medindo a palavra, controlando-a. Os gêmeos olham para ela surpresos. Ele nunca viu uma reação parecida vindo dela. Observa-a em silêncio. Mastiga um pouco de arroz frio, sentindo tristeza por toda essa cena.

— Estou cansada dessa brincadeira. Não se comem pessoas. Ou vocês são selvagens?

Faz a pergunta gritando. Olha a faca enterrada na mesa e vai correndo ao banheiro, como se despertasse de um transe.

Maru, ou Marisita, como sua irmã a chama, olha o pedaço de rim especial que está por levar à boca e ensaia um sorriso enquanto pisca para o irmão. As palavras de sua sobrinha são como vidros que se derretem por um calor intenso, como corvos que arrancam os olhos um dos outros em câmera lenta.

— A mamãe está doidinha.

Diz com uma voz de criança, fazendo bico e movendo o indicador em círculos à altura da têmpora. Estebancito olha para ela e ri. Tudo lhe parece engraçado. Diz:

— A brincadeira se chama "Cadáver Delicioso",[1] quer brincar?

A irmã volta. Olha para ele envergonhada e com resignação.

— Desculpe. É uma brincadeira que está na moda e eles não entendem que é proibido brincar disso.

Toma um pouco de água. Continua falando como se ele tivesse interesse em receber uma explicação que não pediu.

— O problema são as redes e os grupinhos virtuais, é daí que surgem essas coisas. Você vive desconectado, por isso não entende nada.

Percebe que a faca ainda está enterrada na mesa. Tira-a rapidamente, como se nada tivesse acontecido, como se sua reação não tivesse sido desproporcional.

Ele sabe que, se se levantar e for embora, terá de repetir a visita em breve, pois a irmã vai convidá-lo quantas vezes forem necessárias para pedir desculpas. Limita-se a responder:

---

[1] "Cadáver exquisito", no original, também o título do livro, refere-se a um jogo coletivo inventado por poetas e artistas surrealistas franceses em 1925, chamado *cadavre exquis*. Partindo de uma estrutura frasal preestabelecida (por exemplo "substantivo-adjetivo-verbo-substantivo-adjetivo"), cada participante deve acrescentar um termo à frase, desconhecendo o termo anterior. Na primeira vez em que foi jogado, os surrealistas formaram a frase "O cadáver saboroso bebeu o vinho novo" [*Le cadavre exquis boira le vin nouveau*]. [NE]

— Acho que Estebancito tem gosto de ranço, parecido com um porco engordado por muito tempo, e Maru deve ter um gosto parecido com o salmão, um pouco forte, mas gostoso.

Os gêmeos se olham sem entender. Eles nunca provaram porco nem salmão. Depois sorriem achando graça. A irmã olha para ele e não diz nada, só consegue tomar mais água e comer. As palavras se atolam nela, como se estivessem dentro de sacolas plásticas comprimidas.

— Me fale, Marquitos, vocês vendem cabeças para particulares, para alguém como eu?

Ele come o que acha que são verduras. Não distingue o que está comendo, nem pela cor nem pelo sabor. Sente um cheiro azedo no ar. Não sabe se é da comida ou se é o cheiro da casa.

— Você está me ouvindo?

Olha para ela durante alguns segundos sem responder. Pensa que, desde que ele chegou, ela não perguntou pelo pai.

— Não.

— A moça do frigorífico disse outra coisa.

Ele decide que é o momento de acabar a visita.

— O papai está bem, viu, Marisa?

Ela abaixa o olhar e sabe que é sinal de que seu irmão já teve o suficiente.

— Que alegria.

— Sim, uma alegria.

Porém, ele decide ir além, pois ela ultrapassou o limite quando decidiu ligar para seu trabalho e perguntar coisas que não devia.

— Teve um episódio há pouco.

A irmã deixa o talher no ar, no meio do caminho, como se a surpresa fosse real.

— Sério?

— Sim, está controlado, mas acontece de vez em quando.

— Certo, certo.

Ele aponta com o garfo para os sobrinhos e diz, elevando a voz:

— As crianças, os netos dele, alguma vez o visitaram?

A irmã olha para ele surpresa e com fúria reprimida. O contrato tácito não inclui a humilhar, e ele sempre o respeitou. Até esse dia.

— Com o colégio, as lições, a distância, fica muito complicado. Além disso, tem o toque de recolher.

Maru vai dizer algo, porém a mãe toca sua mão e continua falando.

— Pense que eles estão estudando na melhor escola, uma escola de excelência, pública, lógico, porque as privadas são caríssimas. Mas, se não atingirem o nível, terão que trocar de escola, para uma paga, um gasto com que não podemos arcar.

As palavras da irmã são como folhas secas amontoadas em um canto, apodrecendo.

— Claro, Marisa. Mando lembranças da parte de todos vocês para o papai, o que acha?

Ele se levanta e sorri para os sobrinhos, mas não os cumprimenta.

Maru olha para ele desafiante. Come um bocado de rim especial e fala com a boca cheia e quase gritando:

— Eu quero visitar o vovô, mamãe.

Estebancito olha para ela com graça e responde:

— Vamos, mãe, vamos, vamos.

A irmã olha para eles confusa, não capta a crueldade do pedido, não percebe as gargalhadas reprimidas.

— Bom, está bem, pode ser.

Ele sabe que não os verá por muito tempo e sabe que, se cortasse um braço de cada um e os comesse nesse momento sobre a mesa de madeira, o sabor seria exatamente o que previu. Olha direto em seus olhos. Primeiro para Maru, depois para Estebancito. Olha-os como se os saboreasse. Eles se assustam e abaixam o olhar.

Anda em direção à porta. A irmã abre-a e o cumprimenta com um beijo rápido.

— Que bom te ver, Marquitos. Tome aqui esse guarda-chuva, faça o favor.

Ele abre o guarda-chuva e vai embora sem responder. Antes de chegar ao carro, vê uma lixeira. Joga o guarda-chuva aberto. A irmã observa-o da porta, fecha-a enquanto abaixa a cabeça.

21

Ele dirige até o zoológico abandonado.

Os almoços com a irmã sempre o deixam alterado. Não o suficiente para que deixe de ir; porém, depois de vê-la, precisa de tranquilidade para entender por que essa pessoa que faz parte de sua família é assim, por que tem aqueles filhos, por que nunca gostou dele e do pai.

Anda lentamente entre as jaulas dos macacos. Estão quebradas. As árvores, que haviam sido plantadas lá dentro, estão secas. Lê um dos cartazes com letras desbotadas:

Bugio-preto
Alouatta caraya
Classe: Mamíferos

Ao lado da palavra "Mamíferos" há um desenho obsceno.

Ordem: Primatas
Família: Atelidae (Cebidae)
Habitat: Bosques.

Adaptação: As fêmeas têm uma pelagem dourada ou amarelada, enquanto o macho

As palavras que seguem estão apagadas.

Possuem um sistema especial para a produção de sons. Têm um desenvolvimento elevado da laringe e, especialmente, do osso hioide, formando uma grande cápsula que amplifica suas vocalizações.
Alimentação: Plantas, insetos e frutas.
Status de conservação: Não ameaçado.

A frase "Não ameaçado" está riscada com uma cruz.

Distribuição: Região central da América do Sul. Do leste da Bolívia e o sul do Brasil até o norte da Argentina e do Paraguai.

Há uma foto do bugio-preto macho. Tem o rosto contorcido, como se a câmera tivesse captado o momento em que foi capturado. Alguém desenhou um círculo vermelho com uma cruz no centro.

Entra em uma das jaulas. A grama está crescida entre o concreto, há cigarros e seringas no chão. Encontra ossos. Pensa que podem ser do macaco ou não. Podem ser de qualquer um.

Sai da jaula e anda entre as árvores. Está quente e o céu está limpo. As árvores dão a ele um pouco de sombra. Ele transpira.

Depara-se com uma loja de lembrancinhas. Introduz a cabeça no buraco da porta. Encontra latas, papéis, sujeira. Entra e lê a lista de produtos pintada na parede: leão Simba de pelúcia, girafa Rita de pelúcia, elefante Dumbo de pelúcia, copo do reino animal, estojo do macaco-esquilo. Há grafites nas paredes brancas, frases, desenhos. Alguém escreveu "sinto saudades dos animais" com letra apertada e pequena. Outro a riscou e escreveu: "Tomara que você morra, imbecil".

Sai da lojinha e acende um cigarro. Nunca passeia pelo zoológico. Sempre vai direto para a jaula dos leões e permanece ali sentado. Sabe que o zoológico é grande porque se lembra das horas de passeio com seu pai.

Anda pelas piscinas vazias. São pequenas. Acha que ali ficavam as lontras ou as focas. Não se lembra. Os cartazes foram arrancados.

Enquanto anda, arregaça as mangas da camisa. Desabotoa todos os botões e a deixa aberta, solta.

Mais adiante, avista jaulas enormes, altas, com cúpulas. Lembra-se do aviário. Os pássaros coloridos voando, o estalo das plumas, o aroma denso e frágil. Chega às jaulas, mas é apenas uma, dividida em partes. Dentro e sob uma cúpula de vidro, há uma grande ponte flutuante pela qual os visitantes podiam andar dentro da jaula. As portas estão quebradas. As árvores plantadas na jaula cresceram até romper a cúpula de vidro do teto e da ponte. Caminha sobre folhas e vidros quebrados. Sente-os ranger sob suas botas. Vê a escada que dá acesso à ponte flutuante. Sobe. Decide atravessá-la. Anda entre os galhos, salta-os, empurra-os. Em uma clareira, olha o teto e vê a copa das árvores e uma das cúpulas, a do centro. É a única que tem um vitral colorido com o desenho de um homem com asas, voando perto do sol. Ele sabe que se trata de Ícaro e conhece a história. As asas são coloridas e ele voa por um céu repleto de pássaros, como se o acompanhassem, como se aquele humano fosse um deles. Com um galho com folhas que estava jogado, limpa um pouco o chão da ponte para se deitar e não se machucar com os vidros. Algumas partes da cúpula estão quebradas, porém é a que menos dano sofreu, porque é a mais alta, também a que se encontra mais distante dos galhos das árvores que ainda não a alcançaram.

Gostaria de poder ficar o dia todo deitado olhando o céu multicolor. Teria gostado de mostrar esse aviário a seu filho, assim vazio, quebrado. Lembra-se, como um golpe, das ligações de sua irmã no dia em que Leo morreu. Falava somente com Cecilia como se ela fosse a única que precisasse de conforto. No funeral, enquanto chorava, abraçava seus filhos como se temesse que eles também falecessem de morte súbita, como se a morte do bebê do caixão pudesse ser contagiosa. Ele observava a todos como se o mundo tivesse se afastado alguns metros, como se as pessoas que o abraçavam estivessem atrás de um vidro esmerilhado. Não conseguiu chorar, em momento algum, nem sequer quando viu o pequeno ataúde branco descendo terra adentro. Ficou pensando que teria gostado de um ataúde menos chamativo, que entendia que era branco pela pureza da criança que estava dentro, mas, realmente somos tão puros quando chegamos ao mundo? Pensou em outras vidas, pensou que, talvez, em outra dimensão, em outro planeta, em outra época poderia se encontrar com seu filho e vê-lo crescer. E, enquanto pensava tudo aquilo e as pessoas jogavam rosas sobre o caixão, sua irmã chorava como se aquele filho fosse dela.

Tampouco chorou depois, quando acabou o funeral simulado que, nessa época, ainda se fazia. Quando as pessoas foram embora e eles ficaram sozinhos, os funcionários do cemitério levantaram o caixão, limparam a terra e as flores que haviam sido jogadas e o levaram para uma sala. Tiraram o corpo de seu filho do ataúde branco e o puseram em um transparente. Os dois tiveram de testemunhar como o bebê entrava, lentamente, no forno que o cremaria. Cecilia desmaiou e a levaram para outra sala com poltronas, preparada para momentos como aquele. Ele recebeu as cinzas e assinou os papéis que atestavam que seu filho havia sido cremado e que eles testemunharam essa cremação.

Sai do aviário. Passa por alguns brinquedos para crianças. O escorregador está quebrado. Há uma gangorra sem um dos assentos. O gira-gira em forma de pião ainda tem a cor verde, porém desenharam umas suásticas no piso de madeira. Na caixa de areia crescera grama e alguém colocou, no centro, uma cadeira espatifada e a deixou ali apodrecendo. Dos balanços, só resta um. Senta-se no balanço e acende um cigarro. As correntes ainda podem sustentar seu peso. Balança-se com as pernas tocando o chão, com movimentos leves. Depois, balança-se com mais força, descolando os pés, e vê que no céu, lá longe, estão se formando nuvens.

Tira a camisa e a amarra na cintura. Está quente.

Perto dos brinquedos, avista outra jaula. Aproxima-se e lê o cartaz pendurado.

Cacatua-de-crista-amarela
Cacatua galerita
Classe: Aves
Ordem: Psittaciformes
Família: Cacatuidae

Alguém escreveu "Romina te amo" em letras vermelhas sobre a descrição do habitat.

> *Adaptação: Os machos têm os olhos cor de café escuro e as fêmeas, vermelhos. Durante o cortejo, o macho levanta a crista e mexe a cabeça formando um oito enquanto vocaliza. Ambos os pais têm a função de incubar e alimentar as crias. Vivem em torno de quarenta anos, na vida silvestre, e em torno de 65 em cativeiro (existe um recorde de mais de 120 anos).*

O resto do cartaz está quebrado, jogado no chão, mas ele não se abaixa para pegá-lo.

Anda até uma construção grande. O batente da porta está queimado. Entra em um salão com janelões quebrados. Acredita que ali havia um bar ou um restaurante. Há poltronas embutidas na parede que não conseguiram arrancar. A maior parte das mesas já não existe, mas restam duas que foram soldadas ao chão. Há uma construção comprida que pode ter sido um balcão.

Vê um cartaz que diz "Serpentário" e uma seta. Caminha por alguns corredores escuros e estreitos até chegar a um espaço maior com janelões. Vê pintado na parede outro cartaz que diz "Serpentário, aguardar na fila". Entra em um quarto com o teto alto e parcialmente quebrado. Pelos buracos do teto, dá para ver o céu. Não há jaulas. As paredes estão divididas em compartimentos com vidros. Ele acha que se chamam terrários. Os terrários têm vidros pelos quais se observavam as serpentes. Alguns dos vidros estão quebrados, outros sumiram completamente.

Senta-se no chão e busca um cigarro. Permanece observando os grafites e desenhos. Um deles chama sua atenção. Desenharam uma máscara, com bastante habilidade. Parece uma máscara veneziana. Do lado, escreveram em letras grandes e pretas: "A máscara da tranquilidade aparente, da placidez mundana, da alegria pequena e brilhante de não saber quando isso que eu chamo de pele será desgarrada, isso que eu chamo de boca perderá a carne que a envolve, isso que eu chamo de olhos se deparará com o silêncio preto de uma faca". Não está assinado. Ninguém o apagou nem desenhou em cima, mas ao redor escreveram e fizeram desenhos. Lê algumas das frases: "mercado ilegal", "desgarra isso aqui", "carne com nome e sobrenome, a mais gostosa!", "alegria?, pequena e brilhante? sério? LOL!", "que belo poema!!", "depois do toque de recolher, podemos te comer", "esse mundo é uma bosta", "YOLO", "Ah, come de mim, come da minha carne/ ah, entre canibais/ Ah, toma tempo para/ esmiuçar-me/ Ah, entre canibais/ Soda Stereo para sempre jamais".

Está tentando se lembrar do significado de "YOLO", quando escuta um ruído. Fica quieto. É um choro bem fraco. Levanta-se e caminha pelo serpentário até chegar a um dos janelões maiores. Está intacto.

Quase não consegue distinguir nada. Há galhos secos no chão, sujeira. Porém, vê uma figura se mexendo. De repente, vê uma cabecinha se levantando. Tem o focinho preto e duas orelhas marrons. Depois, distingue mais outra cabeça, e outra e outra.

Fica observando e pensando que está tendo uma alucinação. Depois, sente o impulso de quebrar o vidro para tocá-los. De início, não consegue entender como chegaram até ali, depois se dá conta de que são três terrários conectados por portas, dois deles têm os vidros quebrados. Não estão no nível do chão, por isso precisa subir para poder entrar. Fica de quatro para conseguir passar pela porta que conecta o maior dos terrários, o do meio, onde estão os filhotes. A porta está aberta. O terrário é largo e bastante alto. Imagina que ali teria estado uma anaconda, ou um píton. Os filhotes gemem, estão assustados. Óbvio, pensa, nunca viram um humano em sua vida. Anda de quatro com cuidado porque há pedras, folhas secas, sujeira. Os filhotes estão embaixo de um galho que os cobre bem. Galhos nos quais, talvez, alguma jiboia se enroscou, pensa. Estão enrolados uns nos outros para se proteger e dar calor. Senta-se ao lado, sem tocá-los, até que se acalmam. Depois, acaricia-os. São quatro. Estão magros e sujos. Eles cheiram suas mãos. Levanta um deles. É tão leve. O filhote treme. Depois, mexe-se desesperado. Urina-se de medo. Os outros latem, gemem. Ele o abraça e o beija até acalmá-lo. O filhote passa a língua por seu rosto. Ele ri e chora em silêncio.

AGUSTINA **SABOROSO CADÁVER** BAZTERRICA

22

Com os filhotes, perde a noção do tempo. Brincam de atacá-lo. Querem capturar os galhos que ele agita no ar. Mordiscam suas mãos com os dentinhos, quase fazendo cócegas nele. Ele segura as cabeças deles e as sacode com cuidado, como se sua mão fosse a mandíbula de uma besta monstruosa que os persegue. Puxa-os pelas caudas, levemente. Eles rosnam e latem. Lambem as mãos dele. São quatro machos.

Dá nomes a eles: Jagger, Watts, Richards e Wood.

Os filhotes correm pelo terrário. Jagger morde a cauda de Richards. Wood parece dormir, mas acorda de repente, pega um dos galhos com a boca e o agita no ar. Watts o fareja, desconfiado. Anda ao seu redor, fareja-o e late. Sobe em suas pernas com movimentos torpes. Ele o ataca e Watts chora um pouco. Morde suas mãos e mexe o rabo. Depois, Watts atira-se sobre Richards e Jagger. Ataca-os, mas eles o perseguem.

Lembra-se de seus cachorros. Pugliese e Koko. Teve de sacrificá-los, ainda que sabendo, suspeitando, que o vírus era uma mentira fabricada pelas potências mundiais e legitimada pelo governo e pela mídia. Se os abandonasse para não ter de matá-los, temia que os torturassem. Se ficasse com eles, poderia ser muito pior. Podiam torturá-los e os cachorros. Naquela época, vendiam-se injeções preparadas para que os bichinhos não sofressem. Vendiam-nas em todo lugar, até no supermercado. Enterrou-os debaixo da maior árvore do terreno, a árvore em que, nas tardes de muito calor, quando ele não tinha de trabalhar no frigorífico do pai, se sentavam os três sob a sombra. Ele tomava cerveja e lia, eles ficavam a seu lado. Levava junto um velho rádio portátil, do pai, e escutava um programa de jazz instrumental. Gostava do ritual de sintonizar a estação. De vez em quando, Pugliese se levantava e saía correndo atrás de um pássaro. Koko apenas o observava, sonolenta, e depois olhava para ele com um gesto que Marcos sempre achou que significava "Pugliese está maluco, maluco de pedra. Mas gostamos dele assim, doidinho", e sempre acariciava sua cabeça e dizia em voz baixa: "Taylor linda, minha Koko bonita". Porém, se o pai chegasse, Koko se transformava. Não conseguia conter a alegria. Algo se acendia dentro dela, um motor adormecido, e começava a pular, correr, mexer o rabo, latir. Quando via o pai, não importava o quanto estivesse longe, saía correndo e se atirava em cima dele. O pai sempre a recebia com um sorriso, abraçava-a e pegava-a no colo. Ele percebia que o pai estava por chegar porque Koko mexia a cauda de um jeito diferente, de um jeito reservado só para o pai, que a encontrara na beira da estrada encolhida e suja, com poucas semanas de vida, desidratada, à beira da morte. Esteve com ela vinte e quatro horas, levava-a para o frigorífico, cuidava dela até que Koko começou a reagir. Ele acha que o sacrifício de Koko foi mais um dos motivos para a mente do pai colapsar.

De repente, os quatro filhotes ficam quietos, com as orelhas em pé. Ele fica tenso. Em nenhum momento pensou no óbvio. Esses filhotes têm mãe.

Escuta o rosnado. Olha através do vidro e vê dois cachorros mostrando os dentes a ele. Demora menos de um segundo para reagir. Nesse instante, pensa que gostaria de morrer ali, no terrário, com aqueles filhotes. Que pelo menos seu corpo serviria de alimento para que esses animais vivessem um pouco mais. Porém, enxerga a imagem de seu pai no asilo e, com velocidade instintiva, se arrasta até a porta por onde tinha entrado. Fecha-a de um golpe e a tranca. Os cachorros já estão do outro lado, latindo, arranhando, tentando entrar. Se deixasse a porta trancada e saísse pela outra, pela que conecta o terrário contíguo, os filhotes morreriam. Se abrisse a porta que acabava de fechar, essa que está segurando os cachorros, não teria tempo de fugir antes de ser atacado. Porém, a porta que dá acesso ao terrário contíguo está fechada. Tenta abri-la e não consegue. Os filhotes gemem. Enrolam-se para se proteger. Decide cobri-los com a camisa, ainda que saiba que é uma proteção inútil. Deita-se no chão, em frente à porta por onde quer sair e começa a chutá-la. Chuta várias vezes até que a porta cede. Respira. Os cachorros latem e arranham com mais força. Assegura-se de que a porta que dá ao terrário contíguo esteja completamente aberta. Sabe que pode escapar por ali, porque o vidro está quebrado. Escuta os grunhidos dos cachorros, que se intensificam. Pensa que vieram outros ou que, a cada segundo, estão mais raivosos.

Olha os filhotes, encolhidos, confusos, assomando suas cabecinhas pelas bordas da camisa. Pega uma pedra mediana e a encosta na porta trancada, por onde a matilha quer entrar. Depois a destranca porque sabe que, provavelmente, os cachorros vão empurrá-la, mas vai dar trabalho. Encontra outra pedra, um pouco maior, e a arrasta até o terrário contíguo. Fecha a porta com a pedra grande, pois havia quebrado a trava quando a chutou. Sai, com cuidado, pelo vidro quebrado, sem pular nem fazer nenhum ruído estridente. Quando já está no chão, começa a correr.

Corre sem parar, sem olhar para trás. Não se dá conta de que o céu está carregado de nuvens cinza. Quando avista o carro, escuta os latidos com maior nitidez. Vira apenas a cabeça e vê uma matilha de cachorros perseguindo-o, cada vez mais perto. Corre como se fosse sua última ação neste planeta. Consegue entrar no carro segundos antes de que os cachorros o alcancem. Quando recupera o fôlego, olha para os cachorros com tristeza, porque não pode alimentá-los, banhá-los, cuidar deles, abraçá-los. Conta seis cachorros. Estão magros, provavelmente desnutridos.

Não sente medo, mas sabe que poderiam acabar com ele se descesse do carro. Não consegue deixar de olhar para eles. Faz muito tempo que não se depara com um animal. Distingue o macho alfa que lidera o bando. É preto. Os seis rodeiam o carro, latindo, sujando os vidros com a espuma branca dos focinhos, arranhando as portas trancadas. Olha os dentes, a fome, a fúria. São belíssimos. Liga o carro e sai devagar. Não quer machucá-los. Os cachorros o perseguem até que ele pisa no acelerador e se despede mentalmente de Jagger, Watts, Richards e Wood.

23

Chega à sua casa. Sente falta do latido de Koko e Pugliese correndo atrás do carro na estrada de terra, ladeada de eucaliptos. Koko foi quem encontrou Pugliese; estava chorando sob a árvore onde agora estão enterrados. Era um filhote de poucos meses, cheio de pulgas e carrapatos. Estava desnutrido. Koko o adotou como se fosse dela. Marcos catou as pulgas e os carrapatos, alimentou-o para que recuperasse a força, mas Pugliese sempre reconheceu Koko como sua salvadora. Se alguém gritasse ou ameaçasse Koko, Pugliese endoidava. Era um cachorro fiel que cuidava de todos, embora Koko fosse sua predileta.

O céu estava repleto de nuvens pretas, mas ele não percebe. Desce do carro e vai direto para o galpão. Ali está a fêmea. Encolhida, dormindo. Precisa dar-lhe um banho, é uma tarefa que não pode mais ser adiada. Olha o galpão e pensa que deveria fazer uma faxina, montar um espaço para que a fêmea fique mais confortável.

Quando sai em busca de um balde para banhá-la, começa a chover. Só então percebe que é uma tempestade de verão, uma dessas tempestades assustadoras e belas.

Entra na cozinha e sente um cansaço demolidor. Quer sentar-se e beber uma cerveja, mas não pode adiar a limpeza da fêmea. Busca o balde, um sabão branco e um pano limpo. Vai até o banheiro à procura de um pente velho. Não encontra nenhum até se deparar com o pente que Cecilia deixou. Pega-o. Pensa que precisa ligar a mangueira, porém, quando sai, a chuva está tão forte que ele se molha todo. Está sem camisa, pois a deixou com Jagger, Watts, Richards e Woods. Tira as botas, as meias e fica de calça jeans.

Anda descalço até o galpão. Sente a grama molhada sob os pés, o cheiro de terra umedecida. Vê Pugliese latindo para a chuva. Vê o cachorro como se estivesse ali, naquele momento. O maluco do Pugliese pulando, tentando pegar as gotas, sujando-se na lama, buscando a aprovação de Koko que sempre o vigiava da varanda.

Tira a fêmea do galpão, com cuidado, quase com carinho. A fêmea se assusta com a chuva. Tenta se proteger. Ele a acalma, acaricia sua cabeça, fala, como se ela compreendesse, "não é nada, só água, só isso, vai te limpar". Passa o sabão no cabelo dela e a fêmea olha para ele aterrorizada. Senta-a na grama para tranquilizá-la. Ajoelha-se atrás dela. O cabelo, que ele mexe todo desajeitado, vai se enchendo de sabão branco. Faz isso devagar, para não assustá-la. A fêmea pestaneja e mexe a cabeça para vê-lo através da chuva, se contorce, treme.

A chuva cai com força, limpando-a. Ele passa sabão em seus braços e os esfrega com o pano limpo. A fêmea está mais calma, porém o olha com certa desconfiança. Passa o sabão nas costas e depois a levanta com cuidado. Limpa seu peito, as axilas, a barriga. Faz isso com zelo, como se estivesse limpando um objeto de certo valor, porém inanimado. Está apreensivo, como se o objeto pudesse quebrar-se ou pudesse recobrar a vida.

Com o pano, vai apagando as siglas que certificam que ela é uma fêmea da Primeira Geração Pura. Apaga vinte siglas, uma por cada ano de criação.

Passa-lhe a mão pelo rosto para limpar a sujeira impregnada. Nota que ela tem cílios longos e olhos de uma cor indefinida. Talvez cinza ou verdes. Tem algumas sardas dispersas.

Agacha-se para limpar os pés, as panturrilhas, as coxas. Apesar das gotas que caem fortemente, consegue sentir o cheiro selvagem e fresco, cheiro de jasmins. Pega o pente e a senta de novo na grama. Fica atrás dela e começa a penteá-la. O cabelo é liso, mas está embaraçado. Precisa penteá-la com cuidado para não machucá-la.

Quando acaba, levanta-a e a observa na chuva. Parece frágil, quase translúcida, ele a vê inteira. Aproxima-se para sentir o cheiro de jasmim e, sem pensar, a abraça. A fêmea não se mexe, nem treme. Apenas levanta a cabeça e olha para ele. Tem olhos verdes, pensa, definitivamente verdes. Ele acaricia a marca de fogo da testa dela. E beija a marca porque sabe que ela sofreu quando a marcaram, da mesma forma que sofreu quando tiraram suas cordas vocais para que a submissão fosse maior, para que não gritasse no momento do sacrifício. Acaricia a garganta dela. Quem agora treme é ele. Tira a calça jeans e fica nu. Sua respiração se acelera. Continua abraçando-a na chuva.

O que gostaria de fazer é proibido. Mas faz.

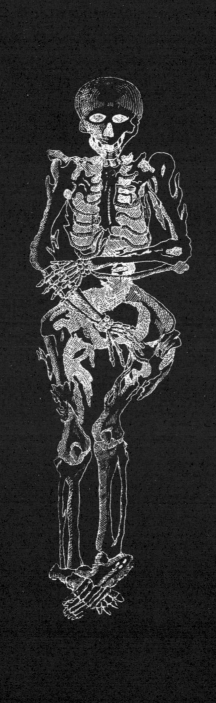

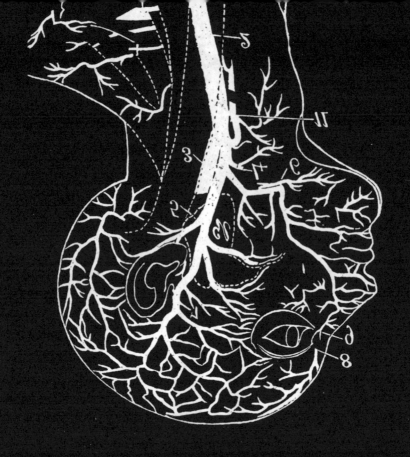

... como uma fera nascida em uma jaula de feras nascidas em uma jaula de feras nascidas em uma jaula de feras nascidas em uma jaula de feras nascidas em uma jaula de feras nascidas em uma jaula de feras nascidas e mortas em uma jaula de feras nascidas em uma jaula, mortas em uma jaula, nascidas e mortas, nascidas e mortas em uma jaula em uma jaula nascidas e depois mortas, nascidas e depois mortas, como uma fera, digo...

SAMUEL BECKETT

AGUSTINA SABOROSO CADAVER BAZTERRICA

1

Acorda com uma camada de suor cobrindo o seu corpo. Não faz calor, não ainda, não durante a primavera. Vai até a cozinha e toma água. Liga a televisão, silencia o volume e passa os canais sem prestar atenção. Para em um canal que transmite uma notícia antiga, de muitos anos. Algumas pessoas começaram a vandalizar as esculturas urbanas de animais. Mostram um bando atirando lixo, tintas e ovos na escultura do touro de Wall Street. Cortam e passam outras imagens de um guindaste carregando a escultura de bronze de mais de três mil quilos, movendo-se pelo ar, enquanto as pessoas a olham espantadas, apontam para ela e tapam a boca. Ele ativa o volume, mas baixo. Houve ataques isolados em museus. Alguém rachou a obra *Gato e pássaro* de Klee no MOMA. A apresentadora fala sobre como especialistas estavam trabalhando na restauração. Outra pessoa, no Museu do Prado, tentou rasgar com suas próprias mãos *Corrida de gatos* de Goya. Avançou sobre a pintura, mas os seguranças a impediram. Ele se lembra dos especialistas, historiadores de arte, curadores, críticos falando indignados sobre a "regressão medieval", a volta "à sociedade iconoclasta". Toma um pouco de água e desliga a TV.

Lembra-se de como queimaram as esculturas de São Francisco de Assis, como retiraram dos presépios o burro, as ovelhas, os cachorros, os camelos, como destruíram as esculturas dos leões-marinhos de Mar del Plata.

Não consegue dormir. Precisa acordar cedo para receber, no frigorífico, um dos membros da Igreja da Imolação. São cada vez mais, pensa. O ritmo ordenado e tranquilo do abate é alterado quando chegam esses dementes. Essa semana terá de ir à reserva de caça e ao laboratório. Tarefas que o afastam de casa, que complicam. Mas precisa cumpri-las porque, nesses últimos tempos, não consegue se concentrar. Krieg não lhe disse nada, mas ele sabe que não está trabalhando como antes.

Fecha os olhos e tenta contar as respirações. Sobressalta-se quando sente que alguém toca nele. Abre os olhos e a vê. Afasta-se e ela se deita no sofá. Sente o cheiro selvagem e alegre, abraça-a. "Olá, Jazmín." Quando se levantou, ele a havia desamarrado.

Liga a TV. Ela gosta de ver imagens. No início, ela tinha medo da televisão. Tentou quebrá-la várias vezes. O som era estridente para ela, as imagens a alteravam. Porém, conforme foram passando os dias, ela percebeu que o aparelho não podia machucá-la, que o que acontecia ali dentro não podia lhe fazer nada, e começou a assistir às imagens com fascínio. Tudo era motivo de surpresa. A água saindo da torneira, a comida nova, tão diferente da ração balanceada, a música que saía do rádio, tomar banho no chuveiro, os móveis, poder andar livremente pela casa enquanto ele estivesse por perto para vigiar.

Ajeita sua camisola. Conseguir vesti-la foi uma tarefa que exigiu uma paciência enorme. Ela rasgava os vestidos, tirava-os do corpo, urinava neles. Ele, longe de ficar zangado, ficava maravilhado com o caráter, com a determinação dela. Com o tempo, ela compreendeu que a roupa servia para agasalhar, que, de alguma forma, a protegia. Também aprendeu a se vestir sozinha.

Ela olha para ele, aponta para a TV e ri. Ele também ri, não sabe do que ou por quê, mas ri e a abraça mais um pouco. Ela não produz sons, mas o sorriso de Jazmín vibra por todo o seu corpo e ele sente que o contagia.

Ele acaricia a barriga dela. Está grávida de oito meses.

2

Precisa ir, mas antes vai tomar chimarrão com Jazmín. Ele já acendeu o fogo e esquentou a água. Para que ela entendesse o conceito de fogo, seus perigos e usos, levou um tempo. Toda vez que ele acendia a boca do fogão, ela saía correndo para o outro canto da casa. Passou do medo ao encanto. Depois, só queria tocar aquela coisa azul e branca que, às vezes, podia ser amarela, aquela coisa que parecia dançar, que tinha vida. Tocava o fogo até se queimar e tirava rápido a mão, assustada. Chupava os dedos e se afastava para voltar a fazer o mesmo, várias vezes. Pouco a pouco, o fogo passou a ser algo cotidiano de sua nova realidade.

    Toma o chimarrão, beija-a e, como todas as vezes, a acompanha até o quarto, onde fica trancada. Fecha a porta de entrada com chave e entra no carro. Sabe que ela ficará tranquila, assistindo à tv, dormindo, desenhando com os gizes de cera que deixou, comendo a comida que ele preparou, passando as páginas dos livros sem entender o que dizem. Gostaria de ensiná-la a ler, mas qual seria o sentido, se ela não pode falar e jamais poderia se integrar a uma sociedade que a enxerga como um produto comestível? A marca na testa, enorme, clara, indestrutível, obriga-o a trancá-la em casa.

Dirige em direção ao frigorífico com rapidez. Quer se livrar das obrigações e voltar para casa. O celular toca, e ele vê que é Cecilia. Para à beira da estrada e atende. Ultimamente, ela liga com mais frequência. Teme que ela queira voltar. Não poderia explicar o que está acontecendo. Ela não entenderia. Tentou se esquivar, mas foi pior. Ela sente sua impaciência, sabe que a dor agora se transformou em outra coisa. Diz: "Você está diferente"; "Sua cara é outra"; "Por que você não me atendeu da outra vez, está tão ocupado assim?"; "Você já se esqueceu de mim, de nós". O "nós" não se reduz a ele e ela, inclui também Leo, porém dizer isso em voz alta seria cruel.

Chega ao frigorífico, cumprimenta o chefe de segurança com um gesto e estaciona. Não presta atenção se ele está lendo o jornal, nem sequer vê quem é. Já não fica fumando encostado no teto do carro. Sobe direto para o escritório de Krieg. Cumprimenta Mari com um beijo, e ela diz: "Oi, Marcos, querido, você está bem atrasado. O sr. Krieg já está lá embaixo. Chegou o pessoal daquela Igreja e ele está os recebendo". Ela diz a última frase com impaciência. "Estão vindo com mais frequência." Ele não responde, embora saiba que chegou tarde e que o pessoal da Igreja se adiantou, aliás. Desce rapidamente as escadas e corre pelos corredores sem cumprimentar os operários que estão no caminho.

Chega ao salão de entrada, onde recebem os fornecedores e as pessoas de fora do frigorífico. Krieg está em pé, sem falar, balança-se devagar, de um jeito imperceptível, como se não pudesse fazer outra coisa. Parece incomodado. Diante dele, há uma comitiva de aproximadamente dez pessoas vestidas com túnicas brancas. Têm a cabeça raspada e olham para Krieg em silêncio. Um deles veste uma túnica vermelha.

Ele se aproxima e cumprimenta a todos estendendo a mão. Pede desculpas pelo atraso. Krieg diz que agora ficarão com ele, Marcos, o encarregado. Que o desculpassem, que tem de fazer uma ligação.

Krieg anda rápido sem olhar para trás, como se os membros da Igreja fossem contagiosos. Passa as mãos na calça, limpando algo, talvez o suor, talvez raiva.

Ele reconhece o mestre espiritual, que é como chamam o líder. Estende-lhe a mão e pede os papéis que abonam e certificam o sacrifício. Inspeciona-os e vê que estão em ordem. O mestre espiritual explica que o membro da Igreja que vai se imolar já foi examinado por um médico, já deixou pronto o testamento e já fez o ritual de despedida. Entrega-lhe outro papel carimbado e com a certificação do cartório que diz: "Eu, Gastón Schafe, autorizo que meu corpo sirva de alimento para outras pessoas", assinatura e número de identidade. Gastón Schafe avança, com sua túnica vermelha. É um homem de setenta anos.

Gastón Schafe sorri e declama o discurso da Igreja da Imolação com paixão, convicto: "O ser humano é a causa de todos os males deste mundo. Somos nosso próprio vírus". Todos os integrantes levantam as mãos e gritam: "Vírus". Gastón Schafe continua: "Somos uma praga da pior classe, destruindo nosso planeta, esfomeando nossos semelhantes". Uma nova interrupção: "Semelhantes", gritam todos. "Minha vida terá sentido, realmente, quando meu corpo alimentar outro ser humano, alguém que verdadeiramente necessite. Por que desprezar meu valor proteico com uma cremação sem sentido? Já vivi, para mim é o suficiente." E todos gritam em uníssono: "Salve o planeta, imole-se!".

Meses atrás, o candidato era uma mulher jovem. No meio do discurso, Mari desceu as escadas aos gritos, dizendo que era um absurdo que uma mulher jovem se suicidasse, que ninguém estava salvando o planeta, que tudo era uma palhaçada, que ela não podia permitir que um bando de lunáticos lavasse o cérebro de uma moça tão novinha, que deveriam ter vergonha, por que não se matavam todos em uníssono, que não entendia por que não doavam todos os órgãos se queriam ajudar, que uma Igreja da Imolação com membros vivos era absolutamente grotesca e continuou gritando até ele abraçá-la e levá-la para outro quarto. Sentou-a e deu-lhe um copo com água, esperando até que ela se acalmasse. Mari chorou um pouco e depois se recompôs. "Por que não se entregam direto para o mercado ilegal, por que precisam vir aqui?", perguntou-lhe Mari com o rosto confuso. "Porque necessitam torná-lo legal para que a Igreja continue funcionando, eles precisam dos certificados." Krieg perdoou a cena porque concordava com tudo que ela havia dito.

O frigorífico é obrigado a recebê-los e "fazer todo esse show macabro", como Mari diz. Nenhum dos frigoríficos os aceitava. A Igreja lutou durante anos para conseguir que o governo cedesse e chegassem a um acordo. Só tiveram sucesso quando foi incorporado um membro com contatos no alto escalão e com muitos recursos. O governo, finalmente, teve de estabelecer um acordo com alguns poucos frigoríficos para que aceitem os membros da Igreja. Em troca, recebiam privilégios tributários. Com isso, conseguiram se livrar do problema de ter que lidar com um bando de delirantes e de pôr em risco toda a falsa construção sobre a legitimação do canibalismo. Se uma pessoa com nome e sobrenome pode ser comida, de forma legal, e essa pessoa não é considerada um produto, qual o impedimento de se comer uns aos outros? Mas o governo não indicou o que fazer com aquela carne, e não esclareceu isso porque é carne que ninguém quer comer, ninguém que saiba de sua origem e tenha de pagar o preço de mercado. Krieg ordenara há tempos que o discurso para os membros da Igreja da Imolação fosse o de que a carne do sacrificado leva um certificado especial para ser consumida pelos mais necessitados, sem maiores explicações. Que fosse entregue a eles esse certificado para arquivá-lo com os outros certificados ao longo dos anos. Na realidade, a carne vai para os mais necessitados, os Carniceiros, que já estão perambulando lá fora, perto da cerca. Porque eles sabem que virá um festim. Não importa se for carne velha, para eles é deliciosa, porque é fresca. Ainda assim, o problema com os Carniceiros é que são um grupo de marginalizados a quem a sociedade não dá nenhum valor. Por isso é impossível dizer ao imolado que seu corpo será destripado, desgarrado, mordido, fagocitado por um excluído, um indesejável.

Concede um tempo para que os membros da Igreja se despeçam do candidato, de Gastón Schafe, que parece em estado de êxtase. Ele sabe que é por pouco tempo, que quando chegarem à área dos boxes, Gastón Schafe provavelmente vomite, ou chore, ou queira escapar, ou vá se urinar. Aqueles que não fazem isso é porque estão drogados ou muito psicóticos. Sabe que os funcionários do frigorífico fazem apostas. Enquanto espera que os abraços terminem, pergunta-se o que Jazmín estará fazendo. As primeiras vezes, teve que deixá-la trancada no galpão para que não se machucasse nem destruísse a casa. Pediu as férias vencidas a Krieg e tirou algumas semanas para ficar com ela, para ensiná-la a viver em uma casa, a se sentar à mesa para jantar, a segurar o garfo, a se higienizar, a segurar um copo de água, a abrir a geladeira, a usar o banheiro. Teve que ensiná-la a não ter medo. Um medo aprendido, conquistado, aceito.

Gastón Schafe avança e levanta as mãos para a frente. Entrega-se com gestos dramáticos, como se todo o ritual tivesse algum valor. Declama: "Como disse Jesus, tomai e comei: isto é o meu corpo". Diz isso com um tom triunfal, e só ele consegue ver a decadência da cena toda.

Decadência e loucura.

Espera que o resto do grupo vá embora. Um guarda de segurança os acompanha até a saída. Diz a ele: "Carlitos, acompanhe-os", e faz um gesto que Carlitos já sabe o significado: "Acompanhe-os e certifique-se de que todos vão embora de forma definitiva".

Pede ao candidato para se sentar em uma cadeira e oferece-lhe um copo de água. As cabeças são submetidas a um jejum completo antes do sacrifício, mas nesse caso não importam as regras. Essa carne é para os Carniceiros, que não têm interesse em sutilezas, nem nas normas, nem nas contravenções. O objetivo dele é que Gastón Schafe fique o mais tranquilo que puder, dadas as circunstâncias. Vai buscar a água e se comunica com Carlitos, que confirma que todos os membros da Igreja se foram, que subiram todos em uma caminhonete branca, e que os vê partindo pela estrada.

Gastón Schafe bebe o copo com água sem saber que contém um calmante, suave, mas com força suficiente para que reaja com o mínimo de estridência e violência quando chegar aos boxes. Começou a usar os calmantes há pouco, depois de uma situação com uma candidata jovem da Igreja, que comprometeu todo o frigorífico. Foi no mesmo dia em que confirmou que Jazmín estava grávida. Esse dia, de manhã, fez a ela um teste de gravidez de farmácia, depois de ver que não apenas não menstruava, mas também tinha ganhado um pouco de peso. Primeiro sentiu felicidade, ou algo parecido, depois sentiu medo e depois confusão.

Como faria? Esse bebê não podia ser dele, não oficialmente, não queria que o levassem e o mandassem a um criadouro, despachassem a criança e Jazmín direto para o Matadouro Municipal. Naquele dia, não pensava em ir ao trabalho, porém Mari o chamou para que fosse com urgência: "Aquela Igreja, a dos Imolados, que me deixa doida, trocaram a data e vieram direto e dizem que eu errei; Krieg não está aqui, eu não vou recebê-los, imagine, Marcos, quero chacoalhá-los, chamá-los à razão, estão todos loucos, não consigo nem olhar para eles". Ele desligou e foi para o frigorífico. Não conseguia pensar em outra coisa que não fosse no bebê, seu filho. Sim, seu. Alguma ideia teria de lhe ocorrer para que ninguém o levasse. Recebeu a Igreja com impaciência. Não se importou que a candidata, Claudia Ramos, fosse jovem. Tampouco considerou que, quando os membros da Igreja se foram, ele não esperou que os acompanhassem até a saída e levou Claudia direto aos boxes. Tampouco se importou que ela observasse pelas janelas da sala de triparia e da sala de degola, e que, a cada passo que dava, ficasse mais nervosa. Não levou em conta que Sergio estava descansando e que em seu lugar estava Ricardo, o outro atordoador, menos experiente. Não considerou o fato de que, quando entraram na sala dos boxes, Ricardo segurou o braço dela como se fosse um animal e tentou tirar sua túnica com certa violência e desprezo, para deixá-la nua e atordoá-la, e que Claudia Ramos se soltou, apavorada, e saiu correndo. Claudia Ramos correu desesperada pelo frigorífico. Passou pelas salas gritando "não quero morrer, não quero morrer", até sair à área de descarga e ver como descia, dos caminhões, um lote de cabeças. Correu direto até as cabeças gritando: "Não, não nos matem, por favor, não, não nos matem, não nos matem". Sergio, que a viu se aproximando a toda a velocidade e, sabendo que era da Igreja da Imolação, porque as cabeças não falam, pegou a marreta (da qual nunca se separava) e a atordoou com uma precisão que deixou todo mundo admirado. Ele havia saído correndo atrás de Claudia Ramos, mas não a alcançara. Viu quando Sergio a atordoava e ficou aliviado. Chamou o segurança pelo rádio e perguntou se o pessoal da Igreja tinha ido embora. "Agora", respondeu-lhe. Ordenou aos funcionários que levassem Claudia Ramos para a Área dos Carniceiros. E Claudia Ramos, inconsciente, foi despedaçada com facões e facas e devorada pelos Carniceiros que perambulavam pela região, a metros da cerca elétrica. Krieg soube da situação, mas não deu importância a ela porque já estava farto da Igreja. Ele, no entanto, entendeu que não podia acontecer novamente, pois, se Sergio não a tivesse atordoado, poderia ter acontecido algo pior.

    Gastón Schafe cambaleia um pouco. O calmante está fazendo efeito. Passam pela sala de triparia e pela sala de degola, mas as janelas estão cobertas. Chegam aos boxes. Sergio está esperando na porta. Gastón Schafe está um pouco pálido, mas continua inteiro. Sergio tira sua túnica e os sapatos. Gastón Schafe fica nu. Treme um pouco e olha, confuso, ao redor. Vai falar, mas Sergio o segura pelo braço, com cuidado, e cobre seus olhos com uma venda. Guia-o até posicioná-lo dentro do box. Gastón Schafe se move, desesperado, diz algo que não dá para entender. Ele pensa que precisa aumentar a dose de calmante. Sergio ajusta o grilhão de aço inoxidável no pescoço e fala com ele. Gastón Schafe parece acalmar-se, pelo menos deixa de se mexer e de falar. Sergio levanta a marreta e o golpeia na testa. Gastón Schafe cai. Dois operários levantam-no e o levam para a área dos Carniceiros.

    A cerca elétrica não consegue silenciar os gritos e o barulho dos facões que cortam, das brigas pelo melhor pedaço de Gastón Schafe.

3

Chega em casa cansado. Antes de abrir o quarto onde Jazmín está, toma um banho; se não fizesse isso, Jazmín não o deixaria tomar um banho tranquilo. Tentaria entrar com ele no chuveiro, iria beijá-lo e abraçá-lo. Ele entende que ela fica sozinha o dia todo e, quando chega, Jazmín o persegue pela casa.

Abre a porta e Jazmín o recebe com um abraço. Ele se esquece de Gastón Schafe, de Mari e dos boxes.

O quarto tem colchões no chão. Não tem móveis nem nada que possa machucá-la. Organizou-o assim quando soube da gravidez dela. A possibilidade de que algo acontecesse com seu filho o levou a tomar todas as precauções. Ela aprendeu a fazer suas necessidades em um balde, que ele limpa todos os dias, e aprendeu a esperá-lo. Ela pode se mover livremente dentro dessas quatro paredes adaptadas para que não lhe aconteça nada.

Há muito tempo não sentia que essa casa era seu lar. Antes era um espaço para dormir e comer. Um lugar com palavras quebradas, silêncios encapsulados nas paredes, com um acúmulo de tristezas estilhaçando o ar, arranhando-o, esburacando o oxigênio. Uma casa onde se gestava uma loucura à espreita, iminente.

Porém, desde a chegada de Jazmín, a casa se encheu do cheiro selvagem e de suas risadas brilhantes e mudas.

Entra no quarto que tinha sido de Leo. Tirou o papel de parede de barcos e o pintou de branco. Construiu um berço novo e móveis. Não podia comprá-los, não queria que ninguém suspeitasse. Cada vez que volta do frigorífico, costuma sentar-se no chão e imaginar de qual cor pintará o berço. Prefere que o filho nasça e, nesse momento, quando se olharem nos olhos, imagina que seu filho o fará saber qual será a cor. Nos primeiros meses dormirá com ele, ao lado da cama, em um berço provisório.

Ele vai se responsabilizar para que esse bebê respire o tempo todo.

Jazmín sempre se senta com ele no quarto do bebê. Ele prefere que seja sempre assim, que ela o persiga. Todas as gavetas da casa têm chave. Um dia, ele voltou do frigorífico e Jazmín havia tirado todas as facas, tinha machucado uma das mãos. Estava sentada no chão, manchada do sangue que caía lentamente. Ele entrou em desespero. Era uma ferida superficial. Ele cuidou dela, limpou-a e guardou as facas com chave. Também os garfos e as colheres. Limpou o chão e descobriu que ela tinha tentado desenhar na madeira. Então, comprou-lhe gizes de cera e papel.

Comprou câmeras conectadas ao celular: enquanto está no frigorífico, consegue saber o que Jazmín está fazendo no quarto. Ela passa muitas horas assistindo à televisão, dormindo, desenhando, olhando para um ponto fixo. Por momentos, parece que ela está pensando, como se isso realmente fosse possível.

4

— Alguma vez comeu algo vivo?

— Não.

— Tem uma vibração, um calor pequeno e frágil que o torna particularmente delicioso. Arrancar uma vida a bocados. É o prazer de saber que, graças à sua intenção, à sua atitude, esse ser deixou de existir. É sentir como esse organismo, complexo e precioso, expira pouco a pouco, mas que, ao mesmo tempo, começa a formar parte de nós mesmos. Para sempre. Esse milagre me cativa. Essa possibilidade de união indissolúvel.

Urlet bebe vinho em uma taça parecida com um cálice antigo. É vermelha transparente, de cristal lavrado, com figuras raras. Podem ser mulheres nuas dançando ao redor de uma fogueira. Não. São figuras abstratas. Ou serão homens uivando? Segura a taça pela haste e a levanta devagar, como se fosse um objeto de valor extraordinário. A taça tem a mesma cor do anel do dedo anelar dele.

Ele olha as unhas de Urlet, como todas as vezes, e não consegue deixar de sentir nojo. São cuidadas, porém compridas. Essas unhas têm alguma coisa hipnótica e primitiva. Uma lamúria, uma presença ancestral. Há algo que gera a necessidade de saber o que se sente ao ser tocado por aqueles dedos.

Alegra-se ao pensar que tem a obrigação de visitá-lo poucas vezes no ano.

Urlet está sentado em uma poltrona de madeira escura, com espaldar alto. Atrás dele, estão penduradas seis cabeças humanas que ele havia caçado no decorrer dos anos. Sempre esclarece, para quem quiser ouvir, que são os troféus mais custosos de se caçar, que significaram "desafios monstruosos e revigorantes". Ao lado das cabeças, há fotos antigas emolduradas. São fotos de coleção de caçadores na África, caçando negros, antes da Transição. A maior e mais nítida delas mostra um caçador branco ajoelhado, segurando a espingarda e, atrás dele e em estacas, as cabeças de quatro negros. O caçador sorri.

Não consegue calcular a idade de Urlet. É daquele tipo de pessoa que parece estar no mundo desde os primórdios, mas com uma vitalidade que os torna jovens à primeira vista. Quarenta, cinquenta, poderia ter setenta. Impossível saber.

Urlet permanece calado e olhando para ele.

Pensa que Urlet coleciona palavras, além de troféus. Para Urlet, elas valem tanto quanto uma cabeça pendurada na parede. Fala o idioma local próximo à perfeição. Sua forma de se expressar é preciosista. Escolhe cada palavra, como se o vento não as levasse, como se as frases ficassem vitrificadas no ar e ele pudesse apanhá-las e trancá-las em um móvel, mas não em um móvel qualquer, um desses antigos, de estilo *art nouveau* com portas envidraçadas.

Urlet saiu da Romênia depois da Transição. Lá, a caça humana era proibida e ele, que tinha uma reserva de caça de animais, quis continuar com o negócio em outra parte.

Nunca sabe o que responder a ele. Urlet observa-o como se esperasse alguma frase reveladora ou alguma palavra sensata, mas ele quer ir embora. Diz a primeira coisa que vem à sua mente, fala com nervosismo porque não consegue segurar o olhar de Urlet nem deixar de sentir que dentro de Urlet há uma presença, algo que arranha o seu corpo, por dentro, tentando sair:

— Sim, deve ser cativante comer algo vivo.

Urlet faz um gesto mínimo com a boca. É desprezo. Vê isso com nitidez, e o reconhece porque, cada vez que tem de visitá-lo, em algum momento da conversa Urlet demonstra displicência a ele de um modo ou de outro; ou porque ele repete as palavras que Urlet disse ou porque não tem nada novo para acrescentar ou porque a frase que ele responde não permite que Urlet continue explanando. Porém, Urlet tem gestos medidos e cuida para que não sejam notados, e em seguida continua:

— Efetivamente, meu querido *cavaler*.

Nunca o chama por seu nome e sempre o trata com formalidades. Chama-o de *cavaler*, que em romeno significa cavalheiro.

É dia, mas no escritório de Urlet, atrás da mesa de madeira preta, imponente, atrás da cadeira que parece um trono, debaixo das cabeças dissecadas e das fotos, há velas acesas. Como se aquele lugar fosse um grande altar, como se as cabeças fossem relíquias de uma religião pessoal, a religião de Urlet dedicada à coleção de humanos, palavras, fotos, sabores, almas, carne, livros, presenças.

As paredes do escritório têm bibliotecas que vão do teto até o chão, com livros antigos. A maioria dos títulos está em romeno, mas, apesar da distância, ele consegue ler alguns: *Necronomicon, Livro Magno de São Cipriano, Enchiridion Leonis Papae, O Grande Grimório, O Livro dos Mortos*.

Escutam-se as risadas dos caçadores voltando da reserva de caça.

Urlet entrega-lhe os papéis com o próximo pedido. Não consegue deixar de sentir calafrios quando uma das unhas dele roça sua mão. Tira a mão com rapidez, sem conseguir dissimular o nojo, e não quer olhar em seus olhos porque teme que a presença, a entidade que vive sob a pele de Urlet, pare de arranhá-lo e se liberte. Será a alma de algum ser vivo que comeu e ficou ali presa?

Olha o pedido e vê que Urlet destacou em vermelho "fêmeas prenhes".

— Não quero mais fêmeas que não estejam prenhes. São idiotas e submissas.

— Perfeito. As prenhes custam o triplo e, se estiverem de quatro meses ou mais, são mais caras.

— Nenhum problema. Quero algumas com o feto desenvolvido, para comê-lo depois.

— Perfeito. Vejo que a quantidade de machos aumentou.

— Os que o senhor me traz são os melhores do mercado. Vêm mais ágeis a cada vez, ou pensantes, como se isso fosse possível.

Um assistente bate na porta devagar. Urlet pede que entre. O assistente se aproxima e sussurra-lhe algo no ouvido. Urlet faz um gesto para o assistente, que se retira em silêncio, fechando a porta. Depois sorri.

Ele permanece sentado, desconfortável, sem saber o que fazer. Urlet tamborila na mesa com as unhas, devagar, e não deixa de sorrir.

— Meu querido *cavaler*, o destino me sorri. Há algum tempo, implementei a possibilidade de que esses famosos que caem em desgraça e devem fortunas possam recuperá-las aqui.

— Como seria isso? Não entendo.

Urlet bebe outro gole. Espera alguns segundos antes de responder.

— Precisam permanecer na reserva de caça por uma semana, três dias ou umas horas, dependendo do montante da dívida e, caso ninguém consiga caçá-los e saiam com vida dessa aventura, eu garanto o cancelamento total da dívida.

— Então estão dispostos a morrer porque devem grana?

— Há pessoas dispostas a fazer coisas atrozes por muito menos, *cavaler*. Como caçar um famoso e comê-lo.

Ele fica perplexo com a resposta. Jamais teria pensado que Urlet poderia julgar o fato de comer alguém.

— O senhor tem dilemas morais com isso, acha uma atrocidade?

— De forma alguma. O ser humano é um ser complexo e eu fico deslumbrado com as vilezas, contradições e sublimidades da nossa condição. A existência seria de um morno exasperante se todos fôssemos impolutos.

— Mas, então, por que a qualificação de atroz?

— Porque é assim. Mas o maravilhoso é isto, que aceitemos nossas desmesuras, que as naturalizemos, que abracemos nossa essência primitiva.

Urlet faz uma pausa para servir-se de mais vinho. Oferece-lhe mais, porém ele não aceita, diz que precisa dirigir. Urlet continua falando, devagar. Toca o anel que tem no dedo anelar, mexe nele:

— Aliás, desde que o mundo é mundo nos comemos uns aos outros. Se não for de maneira simbólica, nos fagocitamos literalmente. A Transição concedeu a possibilidade de sermos menos hipócritas.

Levanta-se devagar e diz:

— Venha comigo, *cavaler*. Desfrutemos da atrocidade.

Ele pensa que não quer fazer outra coisa a não ser voltar para casa e ficar com Jazmín e tocar a barriga dela, porém há algo magnético e repulsivo em Urlet. Levanta-se e o acompanha.

Espiam pela janela que dá para a reserva de caça. Na varanda de pedra, podem ver meia dúzia de caçadores tirando fotos com seus troféus. Alguns estão ajoelhados sobre o corpo da presa no chão. Há dois que a exibem alçando sua cabeça e segurando-a pelos cabelos. Um deles caçou uma fêmea prenhe. Ele acha que deve estar de seis meses.

No centro do grupo, há um caçador com sua presa em pé. Está apoiada em seu corpo e um ajudante a segura pela parte de trás. É a maior presa, a de maior valor. Está vestida com roupa suja, mas dá para ver que é cara, de boa qualidade. É o músico, o roqueiro endividado. Ele não se lembra do nome, mas sabe que foi bem famoso.

Os ajudantes se aproximam e pedem as espingardas. Os caçadores carregam as presas no ombro e vão para um galpão onde as pesam, marcam-nas e as entregam para que os cozinheiros as desmanchem e embalem a vácuo as partes que os caçadores levarão para casa.

A reserva de caça oferece o serviço de embalar as cabeças.

5

Urlet o acompanha até a saída, porém, diante da porta do salão, se encontram com um caçador que chegou mais tarde. É Guerrero Iraola. Ele o conhece bem porque era fornecedor de cabeças do frigorífico. É o dono de um dos maiores criadouros, mas deixou de encomendar cabeças com ele quando, com o tempo, Guerrero Iraola começou a enviar cabeças adoecidas e violentas, a atrasar os pedidos, a injetar medicação experimental para que a carne ficasse mais macia. Enfim, a carne era de má qualidade e ele se cansou do trato displicente, de nunca conseguir se comunicar diretamente com Guerrero Iraola, de passar por três secretárias para poder falar menos de cinco minutos.

— Marcos Tejo, velho querido! Como você está? Quanto tempo!
— Bem, muito bem.
— Urlet, convidamos esse *gentleman* à mesa. *No discussion*.
— Como o senhor preferir.

Urlet se curva levemente e depois faz um gesto a um dos ajudantes e diz algo ao seu ouvido.

— Venha comer, a caça foi *pretty spectacular*. Todos queremos provar Ulises Vox.

Pensa: "Claro, esse é o nome do roqueiro endividado". Acha aberrante a ideia de comê-lo. Responde:

— A viagem de volta é longa.

— *No discussion*. Pelos velhos tempos, que espero que voltem.

Sabe que tirá-lo da lista de fornecedores não o afetou muito em termos econômicos. Afinal de contas, o Criadouro Guerrero Iraola fornece cabeças à metade do país e tem um fluxo enorme de exportação. Porém, também sabe que significou uma perda de prestígio, pois o Frigorífico Krieg é o mais sério do mercado. Mas há uma regra que não pode ser quebrada: estar em bons termos com todos os fornecedores, ainda que Guerrero Iraola o exaspere com essa mescla de palavras em espanhol e em inglês para indicar sua origem, para que todos saibam que frequentou colégios bilíngues e que provém de uma antiga linhagem de criadores, primeiro de animais e agora de humanos. Nunca se sabe se, em algum momento, terá de negociar novamente com essa classe de pessoas.

Urlet não o deixa responder e diz:

— Naturalmente, o *cavaler* está encantado com a ideia e meus assistentes estão acrescentando um prato na mesa.

— *Great!* E o senhor, imagino que também virá comer.

— Seria uma honra.

Entram no salão onde estão os caçadores, que fumam charutos puros sentados em poltronas de couro de espaldar alto. Já tiraram as botas e os coletes, e os assistentes lhes deram paletós e gravatas para usar no almoço.

Um dos assistentes toca uma sineta e todos se levantam para ir à sala de jantar, sentam-se a uma mesa com louça inglesa, facas de prata, taças de cristal. Nos guardanapos estão bordadas as iniciais da reserva de caça. As cadeiras têm espaldares altos com o estofado de veludo vermelho e há castiçais com velas acesas.

Antes de entrar na sala de jantar, um assistente pede para acompanhá-lo. Entrega-lhe um paletó e uma gravata combinando, para ele provar. Ele acha ridícula toda essa preparação, mas tem de respeitar as regras de Urlet.

Quando entra na sala de jantar, os outros caçadores olham-no surpresos, como se ele fosse um intruso. Porém, Guerrero Iraola o apresenta:

— Este é Marcos Tejo, o braço direito do Frigorífico Krieg, uma das pessoas com maior conhecimento do *business*, o mais respeitado e o mais exigente.

Ele jamais teria se apresentado assim para alguém. Se tivesse de ser sincero e dizer quem é, diria: "Ele é Marcos Tejo, um homem que perdeu um filho e anda pela vida com um buraco no peito. Um homem casado com uma mulher destroçada. Trabalha abatendo humanos porque precisa manter um pai demente que não o reconhece, trancado em um asilo. Vai ter um filho com uma fêmea, um dos atos mais ilegais que uma pessoa pode cometer, mas ele não se importa nem um pouco, e esse filho será dele".

Os caçadores o cumprimentam e Guerrero Iraola pede a ele que se sente a seu lado.

Ele deveria estar voltando para casa. São várias horas de viagem. Olha o celular e vê Jazmín dormindo. Tranquiliza-se.

Os assistentes servem uma sopa de erva-doce com anis e depois uma entrada de dedos ao xerez com verduras confitadas. Não são chamados de dedos, mas sim de *fresh fingers*, como se as palavras em inglês conseguissem ressignificar o fato de que estão comendo os dedos de vários humanos que, horas atrás, respiravam.

Guerrero Iraola está falando do cabaré Lulú. Fala em código porque é sabido que o lugar é um antro dedicado ao tráfico de pessoas, com a particularidade de que, depois de pagar por um serviço sexual, é possível pagar também para comer a mulher com quem dividiu a cama. A soma é milionária, porém há essa opção, embora seja ilegal. Estão todos envolvidos: políticos, polícia, juízes. Cada um leva sua porcentagem porque o tráfico de pessoas passou do terceiro ao primeiro negócio mais milionário. São poucas as mulheres que são comidas, porém acontece de vez em quando, como o caso comentado por Guerrero Iraola, que parece haver pagado "*billions, billions*" por uma loira deslumbrante que o deixou louco e depois, lógico, "tinha de ir além". Os caçadores riem e todos brindam, celebrando a decisão de Guerrero Iraola.

— E aí, como foi? — pergunta um dos caçadores mais jovens.

Guerrero Iraola apenas leva os dedos à boca, fazendo um gesto para indicar que estava saborosa. Ninguém pode admitir em público que comeu uma pessoa com nome e sobrenome, exceto no caso do músico que assinou seu consentimento. Porém, Guerrero Iraola insinua só para demonstrar que pode pagar e por isso o convidou para almoçar, para esfregar isso na cara dele. Ele escuta como um dos caçadores, que está bem próximo dele, sussurra para outro que a loira deslumbrante era, na verdade, uma virgenzinha de catorze anos, que precisava ser amansada e que Guerrero Iraola a destroçou na cama, estuprou-a durante horas. Que ele ficou ali e que a menina estava moribunda quando a levaram para o sacrifício.

Ele pensa que o comércio carnal, nesse caso, é literal e sente nojo. Reflete sobre isso enquanto tenta comer as verduras confitadas, sem incluir os dedos cortados em pequenos pedaços.

Urlet, que está sentado ao seu lado, observa-o e diz ao seu ouvido:

— Tem de respeitar o que será comido, *cavaler*. Em todo prato há morte. Pense nisso como um sacrifício que alguns fizeram por outros.

Volta a roçar a mão dele com as unhas, e ele sente um calafrio. Acredita poder escutar o arranhão sob a pele de Urlet, a lamúria contida, a presença que deseja sair. Engole os *fresh fingers* porque quer acabar logo e ir embora o mais rápido possível. Não quer discutir com Urlet nem com as teorias artificiais dele. Não vai dizer a ele que um sacrifício, normalmente, exige o consentimento do sacrificado, nem vai salientar que tudo tem morte, não apenas esse prato, e que também ele, Urlet, está morrendo a cada segundo que passa, como todos eles.

Surpreende-se quando sente que os dedos estão deliciosos. Percebe quanta falta sentia de comer carne.

Um assistente traz apenas um prato e o deposita na frente do caçador que matou o músico. O assistente diz, de forma solene:

— Língua de Ulises Vox marinada em ervas finas, servida sobre kimchi e batatas ao limão.

Todos aplaudem e riem. Alguém fala:

— Que privilégio comer a língua de Ulises. Depois você vai ter que cantar uma música dele para nós, para ver se soa igual.

E todos riem às gargalhadas. Menos ele, ele não ri.

O coração, os olhos, os rins e as nádegas são servidos para o resto dos comensais. O pênis de Ulises Vox é servido para Guerrero Iraola, que o pediu especialmente.

— Era grande, hein — diz Guerrero Iraola.

— Agora você é bicha? Vai comer esse pedaço de pau — diz um deles. Todos riem.

— Não, é um afrodisíaco, me dá potência sexual —responde com seriedade Guerrero Iraola, e encara com desprezo aquele que o chamou de bicha.

Todos ficam em silêncio. Ninguém quer contradizê-lo porque é um homem poderoso. Alguém pergunta, mudando de assunto para aliviar o clima tenso:

— O que é isso que estamos comendo, esse kimchi?

Surge um silêncio. Ninguém sabe o que é kimchi, nem Guerrero Iraola, um homem instruído, que viajou o mundo, que sabe idiomas. Urlet dissimula bem a aversão provocada por comer com essas pessoas sem cultura ou refinamento. Porém, não dissimula tudo. Responde com um leve desprezo na voz:

— O kimchi é um alimento preparado com vegetais fermentados durante um mês. É de origem coreana. Tem uma infinidade de benefícios; dentre eles, é um probiótico. Para os meus convidados, sempre o que há de melhor.

— Temos os probióticos das drogas pesadas que Ulises usava — diz um deles, e todos riem às gargalhadas.

Urlet não responde. Apenas olha com um sorriso de canto estampado no rosto. Ele sabe que a entidade, que aquilo que está ali, raspando a pele de Urlet por dentro, quer uivar, quer desgarrar o ar com uma algazarra cortante, afiada.

Guerrero Iraola impõe ordem com o olhar e pergunta:

— Como foi a caça de Ulises Vox?

— Peguei-o desprevenido em um lugar que parecia um esconderijo. Teve o azar de se mexer justo quando eu passava por ali.

— Claro, com esse seu ouvido biônico, ninguém escapa — diz o que caçou a grávida.

— Lisandrito é um *master*, como todos os Nuñez Guevara. A família dos melhores caçadores do país — diz Guerrero Iraola. — A próxima estrela que Urlet trouxer, eu quero para mim, moleque —continua ele, apontando-lhe o garfo cheio de carne. É uma ameaça iminente, e Lisandrito baixa o olhar.

Guerrero Iraola levanta a taça e todos brindam por Lisandrito e sua linhagem de caçadores de primeira linha.

— Quantos dias faltavam para ele? — pergunta alguém para Urlet.

— Hoje era seu último dia. Restavam-lhe cinco horas.

Todos aplaudem e brindam.

Menos ele. Ele pensa em Jazmín.

6

Sabe que chegará tarde à sua casa. A viagem é longa, não quer ficar em um hotel como das outras vezes, quando Jazmín não estava lá. Está dirigindo há várias horas, sabe que chegará à noite.

Passa pelo zoológico abandonado. Segue adiante porque está escuro e porque não quer ir ali nunca mais. Na última vez que foi, ainda não sabia que Jazmín estava grávida. Necessitava limpar a mente e queria ir ao aviário.

Quando estava chegando à região do aviário, escutou gritos e risadas. Vinham do serpentário. Aproximou-se devagar, rodeando a construção para ver se encontrava uma janela para não ter de entrar.

Uma das paredes estava quebrada. Espiou com cuidado e viu um grupo de adolescentes. Eram seis ou sete. Carregavam paus.

Estavam no serpentário dos filhotes. Haviam quebrado o vidro. Viu que os filhotes estavam ali, enrolados uns nos outros, tremendo, gemendo de medo.

Um dos adolescentes apanhou um dos cachorros, que ele tinha acariciado semanas antes, e o atirou no ar. Outro, o mais alto, golpeou o filhote com o pau, como se fosse uma bola. O filhote bateu contra a parede e caiu no chão, morto, bem perto de outro.

Os adolescentes aplaudiram. Um deles disse:

— Vamos esmagar o cérebro dele na parede. Quero ver como se sente.

Pegou o terceiro filhote e golpeou a cabeça dele reiteradas vezes contra a parede.

— É como esmagar um melão, uma bosta. Vamos tentar com o último.

O último tentou se defender, latir. Esse é Jagger, pensou enquanto era invadido pela raiva porque sabia que não podia resgatá-lo, porque ele sozinho não conseguiria enfrentá-los. O filhote mordeu a mão do adolescente que ia atirá-lo pelo ar. Ele sentiu prazer pela pequena vingança de Jagger.

Todos riram, primeiro, e depois ficaram quietos, calados.

— Você vai morrer, seu imbecil. Eu disse para não pegar pelo pescoço.

O adolescente ficou em silêncio, sem saber como reagir.

— Agora você pegou o vírus.

— Você está contaminado.

— Você vai morrer.

Todos se afastaram alguns passos, temerosos.

— O vírus é uma invenção, seus idiotas.

— Mas o governo...

— O governo o quê? Você vai acreditar naquele bando de corruptos, sanguessugas, filhos de uma puta dos governantes?

Enquanto dizia isso, chacoalhava Jagger no ar.

— Não, mas tem gente que morreu.

— Deixa de ser burro. Você não percebe que eles nos controlam? Se a gente come uns aos outros, controlam o superpovoamento, a pobreza, o crime... quer que eu continue? Ou você não enxerga direito?

— Sim, sim, como aquele filme proibido, que ao final comem uns aos outros, sem saber — disse o mais alto.

— Qual?

— Aquele... acho que o nome era "atingidos pelo destino" ou alguma asneira do estilo. Assistimos na *deep web*, não é fácil de encontrar porque é um dos filmes proibidos.

— Ah, sim, cara, eu me lembro. Aquele em que comem umas bolachas verdes, que na verdade são pessoas amassadas.

O adolescente que segura Jagger sacode o filhote no ar com mais força e grita.

— Eu não vou morrer por causa da porra desse bicho.

Disse isso com rancor e medo, e atirou Jagger contra a parede com força. Jagger caiu no chão, mas continuava vivo, chorava, queixava-se.

— E se atearmos fogo nele? — perguntou outro.

E ele não conseguiu ver mais.

7

De quando em quando, aparece em sua casa um inspetor da Subsecretaria de Controle de Cabeças Domésticas. Ele conhece todos ali dentro, todos os que importam, porque quando fecharam a Faculdade de Ciências Veterinárias, quando o mundo era um caos, quando seu pai começou a querer viver dentro dos livros e ligava para ele às três da manhã para dizer que queria falar com o Barão Rampante para que o ajudasse a entrar nas páginas, quando depois seu pai dizia que os livros eram espiões de uma dimensão paralela, quando os animais viraram uma ameaça, quando o mundo foi restaurado com uma rapidez assustadora e o canibalismo se legitimou, ele trabalhava ali, na Subsecretaria. Convocaram-no por indicação dos funcionários do frigorífico do pai. Ele foi uma das pessoas que redigiu as normas e regras, porém trabalhou menos de um ano, pois o salário era ruim e ele teve que internar o pai.

O pessoal da Subsecretaria apareceu, pela primeira vez, poucos dias depois da chegada da fêmea à casa dele. A fêmea que, naquele momento, não tinha nome, era um número de registro, um problema, uma cabeça doméstica como tantas outras.

O inspetor era jovem e não sabia que ele tinha trabalhado na Subsecretaria. Foram juntos até o galpão onde a fêmea estava deitada sobre um edredom, amarrada e nua. O inspetor não pareceu surpreso e só perguntou se ele estava com todas as vacinas em dia.

— Foi um presente, ainda estou me adaptando a sua presença. Mas, sim, está vacinada, já pego os papéis.

— Pode vendê-la. É uma PGP, vale uma fortuna. Tenho uma lista de compradores interessados.

— Ainda não sei o que vou fazer com ela.

— Não vejo irregularidades. Sugiro que a mantenha mais limpa, para evitar doenças. Lembre-se de que, se decidir abatê-la, você tem que entrar em contato com um especialista, para se certificar de que o trabalho foi realizado e notificar o sacrifício da cabeça para os nossos registros. A mesma orientação se quiser vendê-la ou se ela escapar ou qualquer fato eventual para registrar, assim não haverá reclamações no futuro.

— Sim, eu sei disso. No caso de abatê-la, estou certificado para isso. Trabalho em um frigorífico. Como está o Gordo Pineda?

— O sr. Alfonso Pineda?

— Sim, o Gordo.

— Ninguém o chama assim, é nosso chefe.

— O Gordo, chefe? Não acredito. Trabalhamos juntos quando éramos moleques. Mande lembranças da minha parte.

Depois da primeira visita, o Gordo Pineda, pessoalmente, ligou para ele e avisou que, na próxima inspeção, só iriam solicitar uma assinatura, para não o incomodar.

— Oi, Tejito. Até parece que justo você faria algo com essa fêmea.

— Gordo, querido, quanto tempo.

— Olhe, eu já não estou mais gordo. A bruxa me obriga a tomar sucos e essas besteiras que as pessoas saudáveis comem. Agora sou um magrelo feliz. Temos que marcar um churrasco, Tejito.

O Gordo Pineda havia sido seu colega nas primeiras inspeções feitas aos donos das primeiras cabeças domésticas. As pessoas sabiam o que era proibido e o que não era, porém, não esperavam por uma inspeção e assim testemunharam todo tipo de situações.

As normas foram se ajustando conforme o trabalho era feito. Ele se lembra de um caso em que foram atendidos por uma mulher. Perguntaram-lhe pela fêmea, precisavam ver os documentos, comprovar as vacinas e as condições habitacionais. A mulher ficou alterada e disse que o marido, o dono da fêmea, não estava, que teriam de voltar mais tarde. Ele olhou para o Gordo e os dois pensaram o mesmo. Afastaram a mulher que tentava fechar a porta e entraram na casa. A mulher gritava que não podiam entrar, que era ilegal, que chamaria a polícia. O Gordo disse a ela que estavam autorizados, que ligasse para a polícia se quisesse. Verificaram os quartos e a fêmea não estava. Então, ele teve a ideia de abrir os guarda-roupas, olhar embaixo das camas. Até que encontraram, debaixo da cama matrimonial, uma caixa de madeira com rodinhas, grande o suficiente para caber uma pessoa deitada. Abriram a caixa e ali estava a fêmea, dentro do que parecia um ataúde, sem poder se mexer. Não sabiam o que fazer porque, de acordo com a norma, um caso como esse não estava contemplado. A fêmea estava saudável e o ataúde de madeira não era um lugar convencional para que fosse mantida, mas não podiam multar o dono por conta disso. Quando a mulher entrou no quarto e viu que tinham descoberto a fêmea, desmontou. Começou a chorar, a dizer que o marido fazia sexo com a fêmea e não com ela, que estava cansada, que a tinham substituído por um animal, que não suportava a ideia de dormir com esse bicho nojento embaixo da cama, que se sentia humilhada e que, se acabasse no Matadouro Municipal como cúmplice, não se importaria, porque só queria voltar à sua vida normal, à vida de antes da Transição. Com essa declaração, chamaram a equipe encarregada de inspecionar as cabeças e comprovar se, efetivamente, a fêmea tinha sido "gozada", a palavra oficial usada nesses casos. A norma especifica que o único meio de reprodução é o artificial, que o sêmen deve ser comprado em bancos especiais, que a implantação da amostra deve ser realizada por profissionais idôneos e que todo o processo deve ser registrado e certificado, de tal forma que, caso a fêmea fique prenhe, imediatamente fosse providenciado um número de identificação para esse feto. Portanto, as fêmeas deveriam ser virgens. Fazer sexo com uma cabeça, gozar nela, é ilegal, e a condenação é a morte no Matadouro Municipal. A equipe especial foi até a casa e confirmou que a fêmea tinha sido gozada "de todas as formas possíveis". O dono, um homem de cerca de sessenta anos, foi condenado e o mandaram direto ao Matadouro Municipal. A mulher recebeu uma multa, a fêmea foi confiscada e vendida em um leilão a um preço menor devido à, segundo a terminologia, "gozação proscrita".

Depois de dormir poucas horas por conta da longa viagem de volta da reserva de caça, acorda assustado. Escuta a buzina de um carro. Jazmín está a seu lado e o olha com olhos bem abertos. Está acostumada a permanecer quieta, observando-o, porque ela dorme durante o dia e à noite ele necessita que ela fique tranquila, por isso a acostumou amarrando-a à cama. Não quer que ela fique deambulando pela casa sem controle. Não quer que ela se machuque ou que aconteça algo com seu filho.

Levanta-se de um pulo e abre a cortina. Vê um homem de terno, em pé com a porta do carro aberta e que, por vezes, se abaixa e toca a buzina.

"É um inspetor", pensa.

Abre a porta de entrada, de pijama, com o rosto desfigurado de sono.

— O sr. Marcos Tejo?

— Sim, sou eu.

— Venho da parte da Subsecretaria de Controle de Cabeças Domésticas. A última inspeção foi há quase cinco meses. Certo?

— Sim, deixe-me assinar que preciso dormir.

O inspetor olha surpreso, depois, com autoridade e elevando a voz, diz a ele:

— Como disse? Onde está a fêmea, sr. Tejo?

— Olhe só, o Gordo Pineda me ligou dizendo que só precisa de uma assinatura. O inspetor anterior não reclamou por isso.

— Refere-se ao sr. Pineda? Ela não trabalha mais neste setor.

Ele sente um calafrio percorrendo sua coluna vertebral. Tenta pensar no que fazer. Se o inspetor descobrir que Jazmín está grávida, vão mandá-lo para o Matadouro Municipal, mas, pior que isso, vão tirar seu filho.

Tenta ganhar um tempo para pensar no que fazer. Diz:

— Entre, tome um chimarrão, que ainda estou com sono, me dê alguns minutos para que eu possa acordar.

— Eu agradeço, mas preciso continuar. Onde está a fêmea?

— Vamos, entre, me conte o que aconteceu com o Pineda.

O inspetor hesita. Ele transpira, tenta disfarçar o nervoso.

— Está bem, mas não posso ficar por muito tempo.

Sentam-se na cozinha. Ele acende o fogo e coloca a chaleira. Apronta o chimarrão enquanto fala de qualquer coisa, do clima, do péssimo estado das estradas da região, se ele gosta do trabalho. Quando lhe serve o chimarrão, diz:

— Me dá alguns minutos? Vou lavar o rosto. Voltei ontem de uma longa viagem e quase nem dormi. Você me acordou com a buzinada.

— Mas antes da buzina, bati palmas por um bom tempo.

— Sério? Me desculpe. Tenho o sono pesado, nem ouvi.

O inspetor está desconfortável. Quer ir embora, dá para perceber, porém entrou e ficou quando ele falou em Pineda.

Vai até o quarto e vê que Jazmín está na cama, quieta. Fecha a porta, vai até o banheiro e lava o rosto. O que fazer? O que dizer?

Volta à cozinha e oferece bolachas. O inspetor aceita desconfiado.

— O Gordo Pineda foi mandado embora?

O inspetor demora a responder. Fica apreensivo.

— De onde o conhece?

— Trabalhei com ele, quando éramos moleques. Somos amigos. Fomos inspetores juntos. Fazíamos seu trabalho quando ainda quase nenhuma norma estava definida, fomos adaptando-as.

O inspetor parece relaxar um pouco e o olha com outros olhos. Com certa admiração. Pega outra bolacha e esboça algo que se parece com um sorriso.

— Eu estou começando ainda, há menos de dois meses que trabalho aqui. E o sr. Pineda foi promovido. Não foi meu chefe, mas disseram que era muito bom.

Ele sente alívio, mas dissimula.

— Sim, o Gordo é um cara legal. Espere-me um segundo.

Vai ao quarto e busca o celular. Procura o número do Gordo. Vai à cozinha.

— Gordo, como vai? Olhe só, estou aqui com um dos seus inspetores. Quer que eu mostre a fêmea, estou sem dormir, ela está no galpão, preciso abri-lo, dá um trabalhão. Não era só assinar?

Passa o telefone para o inspetor.

—Sim, senhor. Claro. Não estava informado. Sim, certamente. Não se preocupe.

O inspetor deixa o chimarrão, vasculha na pasta e entrega-lhe um formulário e uma caneta. Sorri artificialmente, tenso. É um sorriso que esconde muitas perguntas e uma ameaça: o que está fazendo com a fêmea? Está gozando? Usufruindo dela para algo ilegal? Vai ver só quando o Gordo Pineda não estiver mais. Vai ver, você e seus privilégios, você vai pagar por isso.

Ele vê claramente as perguntas e a ameaça velada, mas não se importa. Sabe que pode falsificar um certificado de abate domiciliar, que no frigorífico tem tudo de que precisa. Que já não pode depender do Gordo Pineda, não depois dessa visita. Quer que o inspetor vá embora, quer voltar a dormir, embora saiba que já não será possível. Devolve o formulário e pergunta:

— Quer outro chimarrão?

O inspetor se levanta devagar. Guarda o formulário e diz:

— Não, obrigado. Vou continuar.

Ele o acompanha até a porta e estende-lhe a mão. O inspetor não aperta a mão, deixa-a frouxa, sem vida, para que ele faça o esforço de cumprimentá-lo, de segurar aquela mão que parece uma massa amorfa, um peixe morto. Antes de virar as costas, o inspetor olha em seus olhos e diz:

— Que fácil seria o trabalho se todos só assinassem, não é?

Ele não responde. Acha impertinente, mas entende. Sabe da importância desse inspetor jovem que precisa de alguma irregularidade para que o dia valha a pena, desse inspetor que sabe que há algo estranho na cena e que tem de renunciar a cumprir seu trabalho, desse inspetor que se percebe que não é corrupto, que nunca teria aceitado uma propina, que é um sujeito honesto porque ainda não entende algumas coisas, desse inspetor que faz lembrar dele mesmo quando era jovem (antes do frigorífico, das dúvidas, de seu bebê, da morte diária, em série) e pensava que cumprir as normas era o mais importante e que em algum lugar inatingível de sua mente se alegrava da Transição, desse trabalho novo, de fazer parte dessa mudança histórica, de estar pensando regras que as pessoas teriam de cumprir muito tempo depois de ele desaparecer do mundo, porque as normas, pensava, "são meu legado, minha marca".

Nunca imaginou que ele mesmo iria ignorar a própria lei.

8

Quando se certifica de que o inspetor já foi embora, de que o carro já ultrapassou a porteira, volta a seu quarto, desamarra Jazmín e a abraça. Abraça-a forte e toca sua barriga.

Chora um pouco e Jazmín o observa sem compreender, mas toca seu rosto devagar, acariciando-o.

9

Está de folga.

Prepara alguns sanduíches, pega uma cerveja e um pouco de água para Jazmín. Busca o velho rádio, aquele que usava quando Koko e Pugliese ainda viviam, e vai com Jazmín para debaixo da árvore onde estão enterrados. Ficam os dois, à sombra, ouvindo jazz instrumental.

Tocam músicas de Miles Davis, Coltrane, Charlie Parker, Dizzy Gillespie. Não há palavras, só a música e o céu de uma cor azul tão imensa que resplandece, e as folhas das árvores mal se mexem, e Jazmín está apoiada sobre seu peito em silêncio.

Quando toca uma música de Thelonious Monk, ele se levanta e levanta Jazmín devagar. Abraça-a com cuidado e começa a se mover, a se balançar. De início, Jazmín não entende e parece incomodada, porém depois se deixa levar e sorri. Ele a beija na testa, na marca de fogo. Dançam lentamente, embora a música seja rápida.

Ficam o restante da tarde debaixo da árvore e ele acredita sentir que Koko e Pugliese dançam com eles.

10

Acorda com a ligação de Nélida.

— Olá, Marcos. Como vai, querido? Seu pai está um pouco descompensado, nada grave, mas precisamos de você aqui, se for possível venha hoje.

— Hoje não é possível, amanhã é melhor.

— Você não está entendendo. Precisamos que venha hoje.

Ele não responde. Sabe o que significa a ligação de Nélida, mas não quer falar, não tem palavras para isso.

— Já estou de saída, Nélida.

Deixa Jazmín no quarto. Sabe que vai demorar. Prepara-lhe comida e água para o dia todo. Liga para Mari e diz que não irá ao frigorífico.

Dirige a toda a velocidade. Não porque pensa que as coisas vão mudar ou porque acha que poderá ver seu pai ainda com vida, mas porque a velocidade o ajuda a não pensar. Acende um cigarro e dirige. Começa a tossir, forte. Joga o cigarro pela janela, mas continua tossindo. Sente algo no peito, como se fosse uma pedra, golpeia-o e tosse.

Para na beira da estrada e apoia a cabeça no volante. Permanece em silêncio tentando respirar. Está bem na entrada do zoológico. Olha o cartaz quebrado e desbotado, com os animais desenhados, quase apagados, rodeando a palavra "zoo". O cartaz está sobre o arco plano construído com pedras díspares. Sobe nas pedras porque não é muito alto, e fica em pé atrás do cartaz. Começa a chutar, a bater nele, move-o até conseguir tirá-lo. O som do cartaz batendo contra a grama é seco, como um golpe.

Agora esse lugar não tem nome.

Chega ao asilo, Nélida o espera na porta e o abraça. Olá, querido, você já imagina, né? Não queria falar pelo telefone, mas precisávamos de você hoje aqui para fazer os trâmites. Sinto muito, querido, muito mesmo.

Ele só diz: "Quero vê-lo agora".

— Sim, querido, venha, vamos ao quarto.

Nélida o acompanha até o quarto do pai. Há muita luz natural e está perfeitamente ordenado. Sobre a mesinha de cabeceira, há uma foto da mãe com ele nos braços, quando era bebê. Há frascos de remédios e uma luminária.

Senta-se em uma cadeira ao lado da cama onde o pai está deitado, com as mãos cruzadas sobre o peito. Está penteado e perfumado. Morto.

— Quando aconteceu?

— Hoje, bem cedo. Faleceu enquanto dormia.

Nélida fecha a porta e o deixa só.

Toca as mãos dele — estão geladas — e não pode evitar tirar suas mãos. Não sente nada. Quer chorar, abraçá-lo, porém, olha aquele corpo como se fosse o de um estranho. Pensa que agora seu pai está livre da loucura, do mundo atroz, e sente algo parecido com alívio, mas na verdade é a pedra no peito que cresce.

Assoma-se pela janela que dá para o jardim. Vê um beija-flor bem na altura de seus olhos. Por alguns segundos, parece que o pássaro olha para ele. Gostaria de tocá-lo, mas o beija-flor se move rápido e desaparece. Pensa que não é possível que algo tão bonito e pequeno cause algum dano. Pensa que talvez esse beija-flor seja o espírito do pai que está se despedindo.

Sente que a pedra se mexe no peito e desaba a chorar.

11

Sai do quarto. Nélida pede que a acompanhe, pàra assinar os papéis. Entram no escritório dela. Oferece-lhe um café que ele rejeita. Nélida está nervosa, mexe nos papéis, toma um pouco de água. Ele pensa que isso deveria ser uma rotina para ela e que não precisaria atrasar o trâmite como está fazendo.

— O que há com você, Nélida?

Ela olha para ele desconcertada. Nunca havia sido tão direto nem tão grosso.

— Não, nada, querido, tive que chamar sua irmã.

Olha com culpa, mas com decisão.

— São as regras do asilo, não há exceção, querido. Você sabe que eu gosto muito de você, mas não posso pôr em risco meu trabalho. E se sua irmã vier depois e fizer um escândalo? Já passamos por essa experiência.

— Está bem.

Em outro momento, ele teria a consolado com alguma frase do tipo "não se preocupe" ou "não tem problema", mas nesse dia, não.

— Precisa assinar o consentimento da cremação. Sua irmã já o enviou assinado de forma virtual, mas disse que não poderá assistir à cremação. Nós podemos entrar em contato com a casa funerária, se você preferir.

— Sim, acho melhor.

— Certamente, você precisará assistir à cremação, para testemunhar. Ali eles darão a urna para você.

— Está bem.

— Vai querer fazer um simulado de funeral?

— Não.

— Certo, quase ninguém faz mais. Mas a reunião de despedida sim?

— Não.

Nélida olha para ele, surpresa. Bebe mais água e cruza os braços.

— Sua irmã quer fazer uma reunião e, legalmente, está no seu direito. Entendo que você se negue, mas ela está decidida a se despedir do seu pai.

Ele respira fundo. Sente um cansaço demolidor. A pedra, agora, ocupa todo o seu peito. Não discutirá com ninguém. Nem com Nélida, nem com sua irmã, nem com todas as pessoas que irão a esse simulacro de velório, chamado de "despedida", para ficar bem com sua irmã, essas pessoas que nunca conheceram seu pai, que jamais se ocuparam de perguntar como ele estava. Depois ri e responde:

— Bom. Que faça isso, que se ocupe de algo, ao menos. Que seja disso.

Nélida olha para ele surpresa e com alguma pena.

— Entendo sua irritação e você tem razão, aliás, mas é sua irmã. Família é uma só.

Ele tenta pensar quando foi o momento em que Nélida deixou de ser uma funcionária de um asilo para ocupar o lugar de uma pessoa que acha que tem direito de opinar, de dar conselhos e cair, frequentemente, em frases feitas, em clichês irritantes.

—Me dê os papéis, Nélida. Por favor.

Nélida se retrai, olha para ele atônita. Ele sempre foi amável com ela, até carinhoso. Entrega-lhe os papéis em silêncio. Ele assina e diz:

— Quero que o cremem hoje, agora.

— Sim, querido. Depois da Transição tudo se acelerou. Me espere na sala que eu tomo conta disso. Vão buscá-lo em um carro comum, viu? Já não se usam mais carros fúnebres.

— Sim, todo mundo sabe disso.

— Não, bom... eu te esclareço porque tem muita gente distraída, que acha que as coisas, nesse sentido, não mudaram.

— Como não vão mudar depois dos ataques? Foi notícia em todos os jornais. Ninguém quer que um familiar morto seja comido a caminho do cemitério, Nélida.

— Me desculpe, estou estressada. Não estou pensando direito. Eu gostava muito do seu pai e tudo isso está sendo bem difícil.

Faz-se um longo silêncio. Ele não concederá a ela essa desculpa, tampouco. Olha para Nélida com impaciência. Ela fica chateada.

— Sei que não é assunto meu, Marcos, mas você está bem? É uma notícia muito triste, certo, mas faz um tempo que venho notando você estranho, com olheiras, cara de cansado.

Ele olha para ela sem responder, mas Nélida continua:

— E é isso, depois você vai no carro, vai ficar do lado do seu pai a todo momento, inclusive na hora da cremação.

— Eu sei, Nélida. Já passei por isso.

Ela fica pálida. Lógico, não tinha pensado e agora volta à razão. Levanta-se com rapidez e diz "me desculpe, sou uma velha idiota, me desculpe". E continua pedindo desculpas até chegarem à sala, ele se senta e ela oferece-lhe algo para tomar, e depois se afasta em silêncio.

12

Volta para casa com as cinzas do pai no carro. Estão no assento do acompanhante porque ele não sabia onde pôr a urna. O trâmite foi rápido. Viu o corpo do pai entrando no forno, devagar, no ataúde transparente. Não sentiu nada — ou talvez alívio.

A irmã já ligou para seu celular quatro vezes. Não atendeu. Sabe que ela é capaz de ir até sua casa buscar as cinzas, sabe que é capaz de qualquer coisa para cumprir a convenção social de se despedir do pai. Em algum momento, terá de atender.

Passa pelo que foi o zoológico, esse que agora não tem nome. É tarde, mas estaciona. Ainda há alguma luz natural.

Desce do carro e leva a urna carregando-a com as duas mãos. Olha o cartaz no chão e entra.

Vai direto para o aviário. Nem sequer pensa na jaula dos leões. Escuta gritos, porém distantes. Devem ser adolescentes, pensa, devem ser aqueles que mataram os filhotes.

Chega ao aviário e sobe a escada que dá acesso à ponte flutuante. Deita-se olhando o teto de vidro, o céu laranja e rosa, a noite que se aproxima.

Lembra-se de quando o pai o levou ao aviário. Sentaram-se bem juntos nos bancos que havia lá embaixo e o pai falou durante horas sobre as diferentes espécies de aves, seus costumes, das cores das fêmeas e dos machos, das que cantavam à noite ou de dia, das que migravam. A voz do pai era como um algodão de cores brilhantes, suave, enorme, belíssima. Nunca o escutara assim, não desde a morte da mãe. E quando subiram à ponte flutuante, o pai apontou o vitral do homem com asas acompanhado de pássaros. E disse: "Todos dizem que caiu porque voou muito perto do sol, mas ele voou, viu, filho? Pôde voar. Não importa cair, se você foi um pássaro, ao menos, por alguns segundos".

Permanece por um tempo assobiando uma música que seu pai cantava: "Summertime", de Gershwin. O pai sempre ouvia a versão de Ella Fitzgerald e Louis Armstrong. Dizia: "É a melhor, me emociona até as lágrimas". Um dia, viu seus pais dançando ao ritmo do trompete de Armstrong. Estavam na penumbra, e ele permaneceu um longo tempo observando-os em silêncio. O pai acariciou a bochecha da mãe e ele, sendo um menino, sentiu que isso era amor. Não podia colocá-lo em palavras, não naquele momento, porém o soube no corpo, como quando se reconhece algo verdadeiro.

Sua mãe foi quem tentou ensiná-lo a assobiar, mas ele não conseguia. Um dia, seu pai o levou para caminhar e ensinou. Disse que da próxima vez que sua mãe tentasse, ele tinha de disfarçar, tinha de fazer parecer difícil e depois, então, conseguir. Quando pôde assobiar na frente da mãe, ela deu pequenos pulos de alegria, aplaudindo. Lembra-se de como, a partir desse dia, os três assobiavam juntos, como um trio bagunçado, mas alegre. A irmã, que era um bebê, sorria e os observava com os olhos brilhantes.

Fica em pé, abre a tampa da urna e joga as cinzas da ponte. Vê como elas caem devagar. Diz: "Tchau, papai, vou sentir saudades".

Desce, sai do aviário e anda até os brinquedos para crianças. Abaixa-se e junta areia suficiente para encher a urna. É areia com lixo, porém não se esforça em limpá-la.

Senta-se em um dos balanços e acende um cigarro. Quando acaba, apaga-o dentro da urna e fecha a tampa.

Será isso o que sua irmã vai receber: uma urna com areia suja de um zoológico abandonado e sem nome.

13

Volta para casa com a urna no porta-malas. A irmã já ligou para ele muitas vezes. Volta a ligar. Ele olha o celular com impaciência. Põe no viva-voz:

— Olá, Marquitos, não consigo te ver.
— Estou dirigindo.
— Ah, certo. Como você está com isso do pai?
— Bem.
— Liguei para te dizer que estou organizando a despedida aqui em casa. Acho que é mais prático.

Ele não responde. A pedra em seu peito se move, cresce.

— Queria te pedir que trouxesse a urna hoje, ou amanhã. Também posso passar pela sua casa e buscá-la, mas não seria o melhor, pela distância, viu?

— Não.
— Não o quê?
— Não. Nem hoje nem amanhã. Quando eu disser.

— Mas, Marqui...

— Mas nada. Vou levar a urna quando eu quiser e a despedida será quando for bom para mim. Entendeu?

— Bom, sim, entendo que você está triste, mas poderia me falar em outro to...

Ele encerra a ligação.

14

Chega à casa tarde. Está cansado. Monitorou Jazmín pelo celular o dia todo. Sabe que está dormindo.

Não abre a porta do quarto.

Vai à cozinha e pega uma garrafa de uísque. Fica na rede deitado, bebendo. Não há estrelas no céu. A noite está fechada. Tampouco há vaga-lumes. Parece que o mundo inteiro havia sido desligado e silenciado.

Acorda com o sol batendo em seu rosto. Olha a garrafa vazia, jogada de lado. Não entende onde está até se mexer e a rede balançar um pouco.

Sai da rede aos trancos e se senta na grama com o sol da manhã no corpo. Segura a cabeça com as mãos, sente dor. Deita-se na grama e olha o céu. É de cor azul incandescente. Não há nuvens, e ele pensa que se esticar os braços pode tocar o azul, de tão próximo que o sente.

Sabe que sonhou e se lembra do sonho perfeitamente, mas não quer pensar, só quer se perder naquele azul radiante.

Desce os braços, fecha os olhos e deixa que as imagens e sensações do sonho se projetem em seu cérebro, como um filme.

Está no aviário. Sabe que é antes da Transição, que ainda não há nada quebrado. Está em pé na ponte flutuante sem vidros de proteção. Olha o teto e vê a imagem do homem voando no vitral. O homem olha para ele. Ele não se surpreende de ver a imagem com vida, mas deixa de olhar porque sente o barulho ensurdecedor de milhares de batidas de asas. Porém não há pássaros. O aviário está vazio. Volta a olhar o homem, Ícaro, que já não está no vitral. Caiu, pensa, desabou, mas voou. Abaixa o olhar e vê, no entorno da ponte, no ar, beija-flores, corvos, pintarroxos, pintassilgos, águias, melros, rouxinóis, morcegos. Também há borboletas. Porém, estão todos estáticos. Parecem vitrificados, como as palavras de Urlet. Como se estivessem dentro de um âmbar transparente. Sente que o ar se torna mais leve, mas os pássaros não se mexem. Todos olham para ele com as asas abertas. Estão muito perto, mas ele os vê longe, ocupando todo o espaço, todo o ar que ele respira. Aproxima-se de um beija-flor e o toca. O pássaro cai no chão e se estilhaça como se fosse de cristal. Aproxima-se de uma borboleta com as asas azul-claras quase fluorescentes. As asas tremem, vibram, mas a borboleta está quieta. Apanha-a com as duas mãos, com muito cuidado para não machucá-la. A borboleta vira pó. Aproxima-se de um rouxinol, vai tocá-lo, mas não o faz. Deixa seu dedo bem perto porque o acha muito lindo e não quer destruí-lo. O rouxinol se mexe, bate um pouco as asas e abre o bico. Não canta, grita. Grita de forma estridente e desesperada. É uma lamúria carregada de ódio. Ele corre, foge, vai embora. Sai do aviário e o zoológico está escuro, mas consegue ver silhuetas de homens. Percebe que esses homens são ele mesmo repetido ao infinito. Todos estão com a boca aberta e nus. Ele sabe que dizem algo, mas o silêncio é absoluto. Aproxima-se de um dos homens e o sacode. Precisa que fale, que se mexa. O homem, ele mesmo, se desloca com uma lentidão exasperante e, enquanto anda, vai matando o resto. Não bate neles com uma marreta, não os estrangula, não os esfaqueia. Apenas fala e eles, ele mesmo, vão caindo um por um. Depois esse homem, ele mesmo, aproxima-se dele e o abraça. O abraço é tão apertado que ele não pode respirar e se debate até conseguir se soltar. O homem, ele mesmo, tenta se aproximar e dizer algo em seu ouvido, mas ele sai correndo porque não quer morrer. Enquanto corre, sente que a pedra no peito balança e golpeia seu coração. Do zoológico, passa para um bosque. Nas árvores, suspensos, há olhos, orelhas humanas e bebês. Sobe em uma das árvores para apanhar um dos bebês, porém, quando consegue, quando o tem em seus braços, o bebê desaparece. Sobe em outra árvore e o bebê se transforma em uma fumaça preta. Sobe em outra árvore e as orelhas grudam em seu corpo. Tenta tirá-las como se fossem sanguessugas, mas arranca sua própria pele. Ao chegar perto do bebê dessa árvore, vê que está coberto de orelhas e que já não respira. Então ruge, uiva, coaxa, berra, late, mia, cacareja, relincha, orneja, grasna, muge, chora.

Abre os olhos e só vê o azul deslumbrante. Então, grita de verdade.

15

Precisa ir embora. Deixa comida e água para Jazmín. Assim que abre a porta, ela o abraça com força. Fazia tempo que não ficava sozinha tantas horas. Beija-a rápido, senta-a nos colchões com cuidado e tranca a porta com chave.

Entra no carro. Precisa ir ao Laboratório Valka. Liga para o número de Krieg.

— Olá, Marcos, Mari me contou. Sinto muito.

— Obrigado.

— Não precisa ir ao laboratório. Posso avisar que você vai outro dia.

— Eu vou, mas será a última vez.

O silêncio de Krieg é pesado. Não está acostumado com esse tom de voz.

— Sob nenhuma circunstância. Preciso que você vá.

— Hoje eu vou. Depois vou treinar outra pessoa para ir no meu lugar.

— Você não está entendendo. O laboratório é um dos clientes que mais pagam, preciso do melhor.

— Estou entendendo perfeitamente. Não irei mais.

Por alguns segundos, Krieg não fala nada.

— Bom, talvez este não seja o melhor momento para discutir, devido às circunstâncias.

— Este é o momento, sim, e é a última vez que eu vou, ou amanhã peço as contas.

— O quê?! Não, de forma alguma. Marcos, pode treinar uma pessoa. Comece quando quiser. Assunto encerrado. Tire o tempo que precisar para descansar. Nós nos falamos em outro momento.

Ele desliga sem se despedir. Odeia a dra. Valka e seu laboratório de horrores.

Para ingressar no laboratório, precisa entregar seu documento, fazem um *scan retinal*, tem de assinar vários papéis e é revistado em um quarto especial para garantir que não leve câmeras ou qualquer objeto que comprometa a confidencialidade dos experimentos que fazem ali.

Um guarda de segurança o acompanha até o andar onde a doutora se encontra. Ela não deveria fazer esse trabalho, falar com funcionários de um frigorífico para que façam a seleção dos melhores espécimes, porém a dra. Valka é obsessiva, detalhista e, segundo ela mesma sempre afirma, "os espécimes são tudo, necessito de precisão se quero ter sucesso". Exige que sejam PGP, os mais difíceis de conseguir. Descarta os modificados sem rodeios. Pede as coisas mais ridículas, como medidas exatas de extremidades, olhos juntos ou separados, com a testa afundada, grande capacidade orbitária, com cicatrização rápida ou lenta, orelhas grandes ou pequenas, e a lista é alterada, com pedidos insólitos, a cada vez que a visita. Se um espécime não cumpre com as solicitações, ela o devolve e pede um desconto geral pela perda de tempo e dinheiro. Naturalmente, ele não erra mais.

A saudação sempre é fria. Ele estende sua mão, mas ela, sistematicamente, olha para ele como se não entendesse e faz um gesto com a cabeça, algo parecido com um "oi".

— Dra. Valka, como está?

— Acabei de receber um dos prêmios mais prestigiosos em pesquisa e inovação. Portanto, estou ótima.

Ele olha para ela sem responder. Só pensa que essa é a última vez que a verá, que é a última vez que a escutará, que é a última vez que entrará nesse lugar. Como ele não a parabeniza e ela espera ser parabenizada, pergunta-lhe:

— O quê?

— Não disse nada.

Ela olha desconcertada. Em outro momento, ele a teria parabenizado.

— Acontece que o trabalho que fazemos no Laboratório Valka é de vital importância porque, ao experimentarmos com espécimes, os resultados são outros. Com avanços significativos que nunca teríamos atingido com animais. Oferecemos um conceito diferente e avançado sobre o manejo dos espécimes, e nossos protocolos de trabalho são cumpridos rigidamente.

Ela continua falando, como sempre, com o mesmo discurso formatado por uma equipe de *marketing*, com palavras parecidas à lava de um vulcão que nunca para, mas é uma lava fria e viscosa. São palavras que grudam em seu corpo e ele só sente repulsa.

— O quê? — pergunta a doutora, porque em algum momento do monólogo estava esperando uma resposta que ele nunca dará, pois deixou de escutá-la.

— Não disse nada.

Ela olha com estranheza. Ele sempre foi tão atencioso, sempre a escutou e falou o justo e necessário para que ela sentisse que tinha interesse. A dra. Valka nunca perguntará se ele está bem, se está acontecendo algo, porque ele é só um reflexo dela, um espelho para que continue falando sobre suas conquistas.

Ela se levanta e faz o itinerário de sempre, esse itinerário que, nas primeiras vezes, causava-lhe náuseas, dor de barriga, pesadelos. É um itinerário inútil porque ele só precisa da lista do pedido e que ela explique os casos mais difíceis de conseguir. Porém, seu interesse é que ele entenda com precisão cada experimento para que consiga os exemplares mais adequados.

A dra. Valka segura sua bengala e fica de pé. Teve um acidente com um espécime faz alguns anos. Segundo o que é sabido, um assistente se descuidou e deixou a porta de uma jaula entreaberta. Quando a doutora, que fica trabalhando até tarde, foi fazer a ronda de controle, o espécime a atacou e comeu parte de sua perna. Ele acha que o assistente não se descuidou, na verdade se vingou, porque Valka é famosa por maltratar e exigir demais de seus funcionários, por fazer comentários grosseiros; porém, como seu laboratório é o maior e mais prestigioso, os funcionários resistem até não poder mais. Ele sabe que, no início, a chamavam pelas costas de "dra. Mengele", porém experimentar com humanos também foi naturalizado e ela passou a ganhar prêmios.

Enquanto caminha, ela se balança e fala. Parece que para se sustentar precisa das palavras que saem de sua boca sem descanso. Repete sempre os mesmos discursos: o quanto é difícil, ainda neste século, ser mulher e profissional, que as pessoas têm preconceito com ela, que só agora está conseguindo que falem com ela e não com seu assistente, um homem, pensando que ele é o diretor do laboratório, que ela escolheu não constituir uma família e é cobrada socialmente por isso, porque as pessoas continuam pensando que as mulheres têm de cumprir com algum desígnio biológico, que sua maior conquista na vida foi seguir adiante, nunca desistir, que ser homem é muito mais fácil, que essa é sua família, o laboratório, mas ninguém a compreende, não realmente, que ela está revolucionando a medicina e as pessoas ainda olham se os sapatos que ela usa são femininos ou se aparecem as raízes do cabelo porque não teve tempo de ir ao cabeleireiro ou se ganhou peso.

Ele concorda com tudo o que ela fala, mas não suporta suas palavras, que são como girinos minúsculos se arrastando e deixando um rastro pegajoso, rastejando até se acumular uns sobre os outros e apodrecer, viciando o ar com um cheiro fétido. Não responde porque também sabe que ela tem poucas funcionárias mulheres e, se alguma delas fica grávida, ela as despreza ignorando-as.

Ela lhe mostra uma jaula e diz que esse espécime é viciado em heroína, há anos que administram a droga nele para estudar as causas que produzem o vício. "Quando o anularmos, vamos estudar seu cérebro." Anularmos, pensa, outra palavra que silencia o espanto.

A dra. Valka continua falando, porém ele já não a escuta. Vê espécimes sem olhos, outros conectados a tubos pelos quais respiram nicotina o tempo todo, outros com aparelhos na cabeça, grudados ao crânio, outros que parecem famintos, outros com fiações saindo de todas as partes do corpo, vê assistentes realizando vivissecções, outros extraindo pedaços de pele de espécimes sem anestesia, vê exemplares em jaulas onde sabe que o chão está eletrificado. Pensa que o frigorifico é um lugar melhor que esse, pelo menos lá a morte é rápida.

Passam por uma sala em que se pode ver um espécime em uma mesa. Está com o peito aberto e o coração batendo. Há várias pessoas ao seu redor estudando-o. A dra. Valka fica olhando pela janela e diz que é maravilhoso registrar o funcionamento dos órgãos com o exemplar ainda vivo e consciente. Deram-lhe um sedativo leve para que não desmaiasse de dor e, acrescenta empolgada, "que beleza esse coração batendo! Não é uma maravilha?".

Ele não responde.

Ela pergunta:

— O quê?

— Não disse nada — mas, dessa vez, responde olhando-a nos olhos, com aborrecimento e impaciência.

Ela olha para ele de cima a baixo, como se o escaneasse. É um olhar que pretende emanar autoridade, mas ele a ignora. Como se não soubesse o que fazer diante da indiferença dele, leva-o até uma sala nova, onde ele nunca entrou. Há fêmeas em jaulas com seus bebês. Ficam de frente a uma jaula onde há uma fêmea que parece morta e uma criança, entre dois ou três anos, que chora sem parar. Ela explica que sedaram a mãe para ver as reações da cria.

— Qual o sentido disso? A reação não é evidente? — pergunta-lhe.

Ela não responde e continua andando batendo no chão com a bengala, marcando cada passo com ira contida. Ele não se importa que ela esteja perdendo a paciência, embora não saiba como reagir diante de todos os seus descasos. Tampouco se incomoda em saber que reclamará dele para Krieg. Se ela reclamar, melhor, pensa. É uma garantia de não voltar de forma definitiva.

Passam por uma sala nova, que não se lembra de ter visto. Não entram. Vê através das janelas que há animais em jaulas. Chega a distinguir cachorros, coelhos, algum gato. Então, pergunta:

— Estão buscando a cura para o vírus? Digo, porque têm animais. Não é perigoso?

— Tudo o que fazemos aqui é confidencial. Por isso, a cada vez que alguém pisa neste laboratório assina um acordo de confidencialidade.

— Sim, claro.

— Só me interessa falar sobre os experimentos para os quais preciso de espécimes que vocês podem conseguir.

A dra. Valka nunca o chama pelo nome, porque não tem interesse em decorá-lo. Ele suspeita que os animais enjaulados são uma fachada. Enquanto houver alguém os estudando, buscando a cura, o vírus é real.

— É estranho que ninguém tenha achado a cura, não é? Com laboratórios tão avançados, fazendo experimentos de vanguarda...

A doutora não o encara nem responde, mas ele sente que os pequenos girinos na garganta dela estão prestes a explodir.

— Preciso de espécimes fortes. Deixe eu mostrar para você.

Leva-o para uma sala no outro andar, onde os exemplares são todos machos, estão sentados em assentos que se parecem com os dos carros. Estão imobilizados e com a cabeça dentro de um tipo de capacete que parece uma estrutura quadrada formada por barras metálicas. Um assistente toca um botão e a estrutura se move a alta velocidade, batendo a cabeça do espécime sobre um tabuleiro sensível que registra a quantidade, a velocidade e o impacto desses golpes. Alguns exemplares parecem mortos, porque não reagem quando os assistentes tentam acordá-los, outros olham desorientados e com expressões de dor. Valka diz:

— Simulamos acidentes automobilísticos e registramos os dados para construir carros mais seguros. Por isso preciso de mais espécimes machos que sejam fortes, para que resistam a várias provas.

Sabe que ela pretende ouvir de sua boca algo sobre o maravilhoso trabalho que fazem, um trabalho que pode salvar vidas, porém ele só sente a pedra apertando seu peito.

Um assistente se aproxima e entrega algo para que a doutora assine.

— O que é isso? Como é possível que eu esteja assinando isso agora? Por que não o trouxe antes?

— Trouxe, sim. Mas a senhora disse para voltar depois.

— Você não pode me responder isso. Se eu digo depois, é agora, ainda mais com algo dessa importância. Pago para você pensar. Vá embora.

Ele não está olhando para ela, mas a doutora diz:

— A incompetência dessa gente não tem nome.

Ele não responde porque acha que trabalhar com essa mulher deve ser insuportável. Gostaria de dizer que "depois" é depois e que falar mal dos funcionários só demonstra como ela é uma chefe desleal. Pensa melhor e diz:

— Incompetência? Mas não é a senhora que os contrata?

Ela olha para ele furiosa.

Ele sente que a lava vulcânica, fria e viscosa vai entrar em erupção a qualquer momento. Porém, ela respira fundo e responde:

— Vá embora, por favor. Enviarei a lista para Krieg, diretamente.

Isso soou como uma ameaça, mas ele a ignora. Gostaria de responder a ela umas outras tantas coisas, porém a cumprimenta com um sorriso, enfia as mãos nos bolsos da calça e dá meia-volta. Vai embora assobiando pelo corredor, enquanto escuta como os golpes indignados da bengala se afastam pouco a pouco.

16

No momento em que está entrando no carro, o telefone toca. É sua ex-mulher.

— Olá, Marcos. Está tudo pixelado. Olá, você me escuta, pode me ver?

— Olá, Cecilia. Sim, olá. A ligação está ruim.

— Marc.

A ligação caiu. Ele dirige por um tempo, para e volta a ligar.

— Olá, Cecilia. Estava em um lugar sem sinal.

— Soube do seu pai. Nelly me contou. Como você está? Quer que nos encontremos?

— Estou bem. Obrigado, mas prefiro ficar só.

— Está certo. Vai fazer a despedida?

— Marisa vai fazer.

— Claro, era de se esperar. Você quer que eu vá?

— Não, obrigado. Ainda nem sei se eu vou.

— Sinto sua falta, viu?

Ele fica em silêncio. É a primeira vez que ela diz que está com saudades desde que foi para a casa da mãe. Ela continua:

— Você está diferente, estranho.

— Sou a mesma pessoa.

— Faz tempo que sinto que você está distante.

— Você não quer voltar para casa. Você quer que eu te espere a vida toda?

— Não, tudo bem, mas eu gostaria de falar com você.

— Quando eu estiver mais tranquilo, te ligo, pode ser?

Ela olha com aquele olhar que tinha cada vez que não conseguia entender uma situação ou quando algo era inatingível. Um olhar alerta, porém triste, um olhar parecido com o daquelas fotos antigas em sépia.

— Está bem, como você preferir. Qualquer coisa que precisar, me avise, viu, Marcos?

— Certo. Fique tranquila.

Chega à sua casa. Abraça Jazmín e assobia "Summertime" no ouvido dela.

17

A irmã ligou para ele inúmeras vezes para organizar a despedida do pai. Esclareceu que ela se ocuparia de tudo, "até dos gastos". Quando ele a ouviu dizer isso, primeiro sorriu e depois sentiu uma vontade enorme de não a ver nunca mais.

Acorda cedo porque tem de chegar no horário à cidade. Toma banho com Jazmín, para que ela não se machuque. Organiza o quarto, limpa-o, deixa-lhe comida e água para que fique tranquila por várias horas. Controla o pulso e a pressão dela. Desde que soube que ela estava grávida, montou um kit de primeiros socorros, comprou livros sobre o assunto, trouxe do trabalho um USG portátil usado para controlar as fêmeas prenhes que depois enviam para a reserva de caça, e se capacitou para poder atendê-la e acompanhar a gravidez. Sabe que não é o ideal, mas é sua única opção, pois para chamar um especialista deveria atestar a gravidez e mostrar os documentos da inseminação artificial.

Veste um terno e sai.

Enquanto dirige, sua irmã liga de novo.

— Marquitos. Está a caminho? Por que não estou te vendo?
— Estou dirigindo.
— Ah, está bem. Que horas você chega?
— Não sei.
— As pessoas estão começando a chegar. Eu gostaria de ter a urna, viu? Porque sem a urna isso não tem sentido.

Ele desliga sem responder. Ela liga outra vez, mas ele desliga o aparelho. Começa a reduzir a velocidade. Vai demorar o tempo que necessitar.

Chega à casa da irmã. Vê um grupo de pessoas entrando com guarda-chuvas. Sai do carro, pega a urna prateada dentro do porta-malas e a leva debaixo do braço. Toca a campainha e sua irmã atende.

— Até que enfim. Aconteceu algo com seu celular? Não consegui ligar de novo.
— Está desligado. Tome a urna.
— Entre, entre logo que você está sem guarda-chuva de novo. Quer morrer?

Enquanto fala, a irmã olha para o céu. Em seguida, pega a urna.

— Coitado do pai. Uma vida de tantos sacrifícios. Afinal de contas, não somos nada.

Observa sua irmã e percebe algo estranho. Observa melhor e vê que está maquiada, que foi ao cabeleireiro e que está usando um vestido preto colado ao corpo. Nada muito estridente, para não faltar completamente com o respeito, mas está arrumada o suficiente para se exibir no que, sem dúvida, é seu evento.

— Entre. Sirva-se do que quiser.

Ele entra no salão onde os convidados estão reunidos ao redor da mesa de jantar. Encostaram-na na parede e dispuseram pratos variados com comida para que as pessoas se servissem. Vê a irmã levando a urna para uma mesa pequena, na qual há uma caixa transparente que parece ser de vidro lavrado. Coloca a urna dentro dessa caixa com cuidado e com um jeito solene para que as pessoas percebam o respeito que ela tem pelo pai. Ao lado, há um porta-retratos digital com fotos do pai que vão se alternando, um vaso com flores e, dentro de uma cesta, lembrancinhas com a foto do pai e a data de nascimento e morte. As fotos do pai foram editadas. Ele não lembra do pai tirando fotos com a irmã e a família dela, nem tem registro do pai abraçando os netos, porque os netos nunca o visitaram no asilo. Em outras fotos aparecem a irmã e o pai no zoológico. A irmã o apagou e substituiu pelo rosto dela. As pessoas se aproximam dela e a confortam. Ela pega um lenço e o passa pelos olhos sem lágrimas.

Ele não conhece ninguém. Tampouco está com fome. Senta-se em uma poltrona e começa a olhar as pessoas. Vê seus sobrinhos vestidos de preto num canto, mexendo no celular. Eles veem o tio, mas não o cumprimentam. Ele tampouco tem vontade de ir até eles e conversar. As pessoas parecem entediadas. Comem coisas da mesa, falam em voz baixa. Escuta um sujeito alto, de terno, com aspecto de advogado ou contador, que diz a outro: "O preço da carne baixou muito nesses últimos tempos. O bife especial, que antes valia tanto, agora está bem mais barato. Li uma matéria em que relacionam a baixa do preço da carne com o fato de que a Índia entrou oficialmente no mercado de venda e exportação de carne especial, que antes era proibida no país, e a vendem bem barata agora". O outro, um careca de rosto esquecível, ri e diz: "Claro, se são milhões. Espere que eles se comam, aí os preços vão se estabilizar". Uma senhora idosa fica em pé em frente à urna do pai e olha a foto. Pega uma das lembrancinhas e a observa, cheira-a e a joga de novo na cesta em que estava. A senhora vê uma barata andando pela parede, bem perto do porta-retratos digital com as fotos falsas do pai que continuam se alternando. Leva um susto, afasta-se e sai. A barata entra na cesta das lembrancinhas.

À exceção dele, não há ninguém que saiba o quanto o pai gostava de pássaros, o quanto amava sua mulher com paixão e que, quando ela morreu, algo nele se apagou completamente.

Sua irmã anda de um lado a outro, com passos curtos e rápidos, atendendo às pessoas. Ele a escuta dizer para alguém: "Usamos a técnica de morte por mil cortes. Sim, do livro que lançaram há pouco. Claro, esse best-seller. Eu não sei nada disso, meu marido é quem toma conta". O que sua irmã pode saber sobre a tortura chinesa? Levanta-se e se aproxima para ouvir melhor, mas a irmã vai para a cozinha. Quando se aproxima da mesa na qual está a comida, vê uma bandeja de prata com um braço sendo fatiado. Ao redor do braço, assado no forno certamente, há alfaces e rabanetes cortados como se fossem pequenas flores de lótus. As pessoas provam e dizem: "Que delícia. Está tão fresco. Marisa é uma ótima anfitriã. Dá para ver o quanto gostava do pai". Então, lembra-se do quarto refrigerado.

Caminha em direção à cozinha, mas no corredor se depara com a irmã:

— Aonde você vai, Marquitos?

— Para a cozinha.

— O que você vai fazer na cozinha? Posso trazer o que me pedir.

Ele não responde e continua andando. Ela segura seu braço, mas o solta quando uma pessoa, que a chamava do salão, se aproxima para falar com ela.

Chega à cozinha. Sente um cheiro fétido, como se fosse um golpe, mas é fugaz. Anda em direção à porta do quarto refrigerado. Espia e lá dentro vê uma cabeça sem um braço. "Conseguiu, essa vadia", pensa. Ter uma cabeça doméstica na cidade é um símbolo de *status*, dá prestígio. Olha melhor e percebe que é uma PGP, porque pode distinguir algumas siglas. Do lado, sobre a bancada, vê um livro. A irmã dele não tem livros. O título é *Guia para realizar a morte por mil cortes em cabeças domésticas*. O livro tem manchas vermelhas ou amarronzadas. Sente vontade de vomitar. Claro, pensa, vai esquartejá-la aos poucos a cada evento, e isso da morte por mil cortes deve ser algo da moda, para que todas essas pessoas tenham um assunto do que falar. Todos em família cortando o ser vivo que está na geladeira, usando uma tortura chinesa milenar. A cabeça doméstica olha-o com tristeza. Ele tenta abrir a porta, mas está trancada.

— O que você está fazendo?

É a irmã dele que o olha com uma bandeja vazia nas mãos e golpeia o chão com o pé direito. Ele se vira e a vê. Sente a pedra no peito explodir.

— Tenho nojo de você.

Ela olha para ele surpresa e indignada.

— Como você se atreve a falar isso justo hoje? Aliás, o que está acontecendo com você ultimamente? Seu rosto está abatido.

— Acontece que você é uma hipócrita e seus filhos, dois bostas.

Ele mesmo se surpreende com o insulto. Ela arregala os olhos e abre a boca. Por alguns segundos, não responde.

— Eu entendo que você esteja estressado com isso do papai, mas não dá para você me ofender assim, ainda mais na minha própria casa.

— Entende que você não tem pensamento próprio, que tudo o que você faz é seguir as normas impostas? Que tudo isso que você está fazendo é vazio? Você consegue sentir algo de verdade? Alguma vez amou o papai?

— Acredito que ele merece uma despedida, não? É o mínimo que podemos fazer por ele.

— Você não entende nada.

Ele sai da cozinha e ela o persegue falando que não pode ir embora, o que as pessoas vão pensar, que ele não pode levar a urna bem agora, que faça esse favor, pelo menos, que os colegas de trabalho de Esteban estão ali, que o chefe está ali, que ele não pode envergonhá-la dessa maneira. Ele para, segura o braço dela e diz ao seu ouvido: "Se você continuar me enchendo assim, vou dizer para todos que você nunca me ajudou em nada com o pai, entendeu?". A irmã o observa com medo e se afasta alguns passos.

Abre a porta da casa e sai. Ela o persegue correndo com a urna. Chega perto dele alguns instantes antes que ele abra a porta do carro.

— Leve a urna, Marquitos.

Por alguns segundos, ele a olha em silêncio. Entra no carro e fecha a porta. A irmã fica em pé sem saber o que fazer até que se dá conta de que está ao ar livre sem guarda-chuva. Olha para o céu com temor, cobre a cabeça com a mão e volta correndo para casa.

Ele liga o carro e sai, mas não sem antes ver como a irmã entra na casa com uma urna cheia de areia suja de um zoológico abandonado e sem nome.

18

Volta para casa. Acelera e liga o rádio.

Toca o celular, é Mari. Acha a ligação estranha, porque Mari sabe que ele está na despedida do pai. Sabe disso porque Mari ligou para ele pedindo-lhe autorização para dar à irmã a lista de seus contatos para convidá-los para a despedida. Obviamente, ele não quis e disse a Mari que não gostaria de ver ninguém conhecido lá.

— Oi, Mari. O que aconteceu?

— Preciso de você agora aqui no frigorífico. Eu sei que não é o momento, desculpe, mas estamos com uma situação incontrolável. Por favor, venha agora.

— Mas o que houve?

— Não posso explicar, você tem que ver.

— Estou perto, estava voltando para casa. Chego em dez minutos.

Acelera. Nunca ouviu Mari tão preocupada.

Quando está chegando, avista de longe o que parece ser um caminhão parado no meio da estrada. Quando está a poucos metros vê, no asfalto, manchas de sangue. Quando se aproxima mais um pouco, não acredita no que está vendo.

Um dos caminhões-jaula está capotado na beira da estrada, destruído. As portas quebraram com o impacto ou foram quebradas. Vê Carniceiros com facões, pedaços de paus, facas, cordas, matando as cabeças que estavam sendo transportadas ao frigorífico. Vê o desespero, a fome, uma loucura furiosa, um ressentimento conquistado, assassinato, vê um Carniceiro cortando o braço de uma cabeça viva, vê outro correndo e tentando laçar uma cabeça que foge como se fosse um bezerro, vê mulheres com bebês nas costas esfaqueando, cortando membros, mãos, pés, vê o asfalto cheio de vísceras, vê um menino de cinco ou seis anos arrastando um braço. Acelera quando um Carniceiro, com o rosto transtornado e manchado de sangue, grita algo para ele, levantando o facão.

Sente que os pedaços da pedra que tinha no peito percorrem seu corpo. Queimam, são incandescentes.

Entra no frigorífico. Mari, Krieg e vários funcionários estão assistindo ao espetáculo. Mari se aproxima dele correndo e o abraça.

— Ai Marcos, desculpe, sério, mas tudo está uma loucura. Nunca tinha acontecido nada igual com os Carniceiros.

— O caminhão capotou ou o capotaram?

— Não sabemos. Mas isso não é o pior.

— O que é pior, Mari, o que pode ser pior que isso?

— Atacaram Luisito, o motorista. Estava ferido e não conseguiu sair a tempo. Eles o mataram, Marcos! Mataram Luisito!

Mari o abraça e não para de chorar.

Krieg se aproxima e estende a mão a ele.

— Sinto muito pelo seu pai. Desculpe ligar para você hoje.

— Fizeram o certo.

— Essas pragas mataram Luisito.

— Temos que ligar para a polícia.

— Já ligamos. Quero ver como vão fazer para lidar com esses marginais de merda.

— Têm carne suficiente para semanas, se quiserem.
— Disse ao pessoal para atirar sem matar, só para dar um susto neles.
— E no que deu?
— Em nada. Parece que estão em transe. Como se tivessem se transformado em monstros selvagens.
— Vamos conversar no escritório. Mas antes vou fazer um chá para Mari.

Entram no frigorífico. Ele abraça Mari, que não para de chorar e dizer que, de todos os motoristas, Luisito era um de seus prediletos, que era um amorzinho, que não tinha nem trinta anos, tão responsável, que era pai de família, que tinha um bebê lindo, que a mulher, o que ia fazer a mulher agora?, que a vida era injusta, que aqueles sujos, miseráveis, que há tempos deveriam ter matado, que são marginais de merda, sempre rondando como baratas, que não são humanos, são pragas, são animais selvagens, que era uma barbárie morrer assim, que a esposa não conseguiria cremar seu próprio marido, que ninguém tinha pensado naquilo antes, que a culpa é de todos eles, que não sabe para qual deus rezar se seu deus permite que aconteçam essas coisas.

Ele a senta e serve-lhe um chá. Ela parece recuperar-se um pouco e toca a mão dele.

— Você está bem, Marcos? Há tempos que você anda com o olhar diferente, mais cansado. Está dormindo bem?
— Sim, Mari, Obrigado.
— Seu pai era um amor de pessoa. Tão honesto. Eu contei que o conheci antes da Transição?

Ela tinha contado isso várias vezes, porém ele diz que não e finge surpresa, como toda vez.

— Sim, quando era moça. Eu trabalhava como secretária em um curtume e falei várias vezes com ele quando vinha às reuniões com meu ex-chefe.

E volta a contar que o pai era bonitão, "como você, Marcos", que todas as funcionárias flertavam com ele, mas ele nada, nem as olhava, "porque se notava que seu pai só tinha olhos para sua mãe, ele parecia apaixonado", que sempre foi muito atencioso e respeitoso, que dava para ver de longe que era uma boa pessoa.

Ele segura as mãos dela com cuidado e as beija.

— Obrigado, Mari. Você está melhor, se importa se eu for falar com Krieg?

— Pode ir, querido, temos que resolver isso que é urgente.

— Qualquer coisa, me avise.

Mari fica em pé, dá um forte beijo na bochecha dele e o abraça.

Ele entra no escritório de Krieg e se senta.

— Que tragédia. As cabeças são uma perda milionária, mas o que aconteceu com Luisito é um absurdo.

— Sim. Temos que ligar para a mulher dele.

— Isso é tarefa da polícia. Vão avisar pessoalmente.

— Soube o que aconteceu? Se o caminhão capotou ou o capotaram?

— Temos que monitorar as gravações da segurança, mas acreditamos que o capotaram. Não houve tempo para reagir.

— Foi Oscar que avisou?

— Sim, Oscar está de plantão, viu o que aconteceu e me ligou. Não tinham se passado nem cinco minutos e esses merdas já estavam matando todo mundo.

— Então, foi planejado.

— Parece que sim.

— Vão fazer isso de novo, agora que sabem que é possível.

— Sim, esse é meu medo. O que você sugere?

Ele não sabe o que responder, ou sim, sabe bem, mas não quer. Os pedaços da pedra ardem em seu sangue. Lembra-se do menino arrastando o braço pelo asfalto. Fica em silêncio. Krieg olha para ele com ansiedade.

Tenta responder, mas começa a tossir. Sente os pedaços da pedra se acumulando na garganta. Gostaria de fugir com Jazmín. Gostaria de desaparecer.

— A única coisa que me ocorre é matar todo mundo, agora. A praga tem que ser exterminada — diz Krieg.

Ele o observa e sente uma tristeza contaminada, furiosa. Não para de tossir. Sente que as pedras se tornaram grãos e são areias em sua garganta. Krieg lhe serve um copo de água.

— Você está bem?

Quer dizer que não está bem, que as pedras o calcinam por dentro, que não consegue tirar da cabeça aquele menino morto de fome. Toma a água, não quer responder, mas diz:

— Temos que pegar várias cabeças, envená-las e dar para eles.

Fica calado, hesita, mas continua:

— Vou passar essa ordem daqui a algumas semanas. Precisamos esperar que eles comam a carne que roubaram, para que não desconfiem. Seria estranho dar carne agora, quando acabam de nos atacar.

Krieg o observa ansioso. Pensa por vários segundos, depois sorri.

— Sim, é uma boa ideia.

— Assim, quando começarem a morrer envenenados, será evidente que foi pela carne que roubaram. Ninguém poderá pôr a culpa na gente.

— Tem que ser feito por gente de confiança.

— Eu me ocupo disso, quando for o momento.

— Agora a polícia vai chegar, é bem provável que sejam detidos. Acredito que, agora, não é necessário.

Odeia ser tão eficiente. Porém, não deixa de responder, de resolver, de buscar a melhor solução para o frigorífico.

— Quem vai ser detido? Mais de cem pessoas que passam necessidade, marginais? Como podem saber quem matou Luisito, quem vai levar a culpa? Se aparecer nas gravações da segurança quem o matou, aí sim, mas até chegar a esse ponto vai levar muito tempo.

— Você está certo. Podem prender dois ou três e continuaremos tendo problemas com o resto. Mas de quantas cabeças precisamos para matar a todos?

— Todos não, mas morrerá o número suficiente para que o resto vá embora.

— Claro.

— Essa gente está à margem da lei. Não devem ter nem documentos. A apuração pode levar anos. E enquanto isso, vão capotar mais caminhões, pois já sabem como fazer.

— Sim, isso também. Embora eu acredite que não vão se arriscar.

— Você não viu o rosto desses selvagens.

— Sim, vi. Mas estarão cansados e alimentados. Mesmo assim, acho necessário ter gente armada.

— Bom. Confio que isso funcione.

Ele não responde. Estende-lhe a mão e diz que vai voltar para casa. Krieg responde que sim, que volte, definitivamente, e pede desculpas por chamá-lo justo nesse momento.

Quando está saindo do frigorífico, volta para ver o caminhão destruído, as luzes da polícia se aproximando e o sangue no asfalto.

Quer sentir pena dos Carniceiros e do azar de Luisito, mas não sente nada.

19

Chega em casa e vai direto para o quarto de Jazmín. Não olhou para o celular para controlá-la durante o dia inteiro. É a primeira vez, desde que instalou as câmeras, que se esqueceu de monitorá-la.

Abre a porta do quarto e vê que Jazmín está deitada, com cara de dor. Está tocando a barriga e a camisola está manchada. Vai até ela correndo e vê que o colchão está encharcado de um líquido verde amarronzado. Grita: "Não!".

Sabe que, por conta de tudo o que já leu, se o líquido amniótico for verde ou marrom há algum problema com o bebê. Não sabe o que fazer, só levar Jazmín no colo até sua cama, para que fique mais confortável. Então, pega o celular e liga para Cecilia.

— Preciso que você venha aqui agora.
— Marcos?
— Pegue o carro da sua mãe e venha já para casa.
— Mas o que aconteceu?
— Venha já, Cecilia. Preciso de você aqui agora.

— Não estou entendendo. Sua voz está diferente, não estou te reconhecendo.

— Não posso explicar pelo telefone, entenda que preciso que você venha já.

— Sim, está bem, já vou.

Ele sabe que ela vai demorar. A casa da mãe não fica na cidade, mas também não fica muito perto.

Corre até a cozinha, pega alguns panos de chão e os molha. Bota os panos frios na testa de Jazmín. Tenta fazer uma ultrassonografia, mas não consegue detectar o problema. Toca a sua barriga e diz: "Tudo vai ficar bem, bebê, tudo bem, você vai nascer bem, vai dar tudo certo". Serve um pouco de água a ela. Não pode deixar de repetir que tudo vai dar certo, quando sabe que seu filho corre risco de morte. Não pode se levantar e preparar o necessário para o parto, como ferver água. Fica quieto, abraçando fortemente Jazmín que, a cada minuto, fica mais pálida.

Olha o quadro que está sobre sua cama. O quadro de Chagall, que sua mãe tanto gostava. De alguma forma, reza para ele. Pede à sua mãe que o ajude, de onde estiver.

Escuta o motor de um carro e sai correndo. Abraça Cecilia. Ela se afasta e olha para ele com desconfiança. Segura seu braço e, antes de levá-la para dentro, diz:

— Preciso que você tenha a mente aberta. Preciso que você deixe de lado qualquer coisa que possa sentir e seja a enfermeira profissional que eu conheço.

— Não entendo do que você está falando, Marcos.

— Venha, vou te mostrar, me ajude, por favor.

Entram no quarto e ela vê uma mulher grávida na cama. Olha para ele com tristeza, com certo espanto e com alguma perplexidade, até que se aproxima mais e vê a marca de fogo que a mulher tem na testa.

— O que uma fêmea está fazendo na minha cama? Por que você não chamou um especialista?

— É meu filho.

Ela olha para ele com nojo. Afasta-se alguns passos, fica de cócoras e segura sua cabeça, como se tivesse uma queda de pressão.

— Você está louco? Quer acabar no Matadouro Municipal? Como pôde ficar com uma fêmea? Você é doente.

Ele se aproxima, levanta-a devagar e a abraça. Depois diz a ela:

— O líquido amniótico está verde, Cecilia. O bebê vai morrer.

Como se ele tivesse pronunciado palavras mágicas, ela se levanta e diz para começar a ferver água, que traga toalhas limpas, álcool, mais travesseiros. Ele corre pela casa buscando as coisas que ela pediu, enquanto Cecilia examina Jazmín e tenta acalmá-la.

O parto dura várias horas. Jazmín empurra instintivamente, mas Cecilia não consegue se fazer entender. Ele tenta ajudar, mas sente o medo de Jazmín e fica paralisado, só consegue falar: "Tudo vai ficar bem, tudo vai dar certo". Até que Cecilia grita que consegue ver um pé. Ele entra em desespero. Cecilia pede que ele saia, que está deixando as duas estressadas, que o parto pode ter complicações. Que espere lá fora.

Ele fica atrás da porta do quarto com a orelha grudada na madeira. Não há gritos, só Cecilia dizendo "vamos, mãezinha, empurre, empurre, isso, vamos lá que você consegue, mais forte que já está vindo, vamos, mãe, isso, vamos", como se Jazmín pudesse entender algo do que ela diz. Depois o silêncio é absoluto. Passam-se alguns minutos e ele escuta Cecilia gritar: "Não! Vamos, neném, se vire, vamos, mãezinha, empurre, vamos que está quase, quase. Meu Deus, me ajude. Você não vai morrer, caralho, não enquanto eu estiver aqui. Vamos, mãe, vamos lá que você consegue". Não escuta nada durante alguns minutos, até que ouve um choro, então entra.

Vê seu filho nos braços de Cecilia, que transpira, toda descabelada, mas com um sorriso que ilumina seu rosto.

— É um menino.

Ele se aproxima e o segura, aninha-o, beija-o. O bebê chora. Ela diz que tem de cortar o cordão umbilical, limpá-lo e agasalhá-lo. Diz isso chorando, emocionada, feliz.

Quando o bebê já está preparado e tranquilo, Cecilia o entrega. Ele olha sem acreditar, é muito lindo, diz, é tão lindo. Sente que os pedaços da pedra diminuem, perdem espessura.

Jazmín está na cama e estica os braços. Os dois a ignoram, mas ela abre a boca e mexe as mãos. Tenta se levantar e, quando consegue, bate com o quadril na mesinha de cabeceira e a luminária cai.

Os dois a observam em silêncio.

— Traga mais toalhas e mais água para limpá-la antes de levá-la para o galpão — diz Cecilia.

Ele se levanta e entrega seu filho a Cecilia, que o aninha e canta para ele. Ele diz "agora é nosso", e ela o olha sem poder responder, emocionada, confusa.

Cecilia só olha para o bebê, chora em silêncio. Acaricia-o e diz: "Que neném mais bonito, que pequenininho mais bonito. Como vamos te chamar?".

Ele vai à cozinha e volta com algo na mão direita.

Tudo que Jazmín consegue fazer é esticar os braços para tocar seu filho, desesperada. Tenta se levantar de novo, mas se machuca com os pedaços do vidro da luminária quebrada no chão.

Ele se posiciona atrás de Jazmín, que o olha com desespero. Primeiro abraça-a e beija a marca de fogo. Tenta acalmá-la. Depois se ajoelha e diz "fica tranquila, tudo vai ficar bem, fica tranquila". Passa os panos molhados por sua testa para limpar o suor. Canta "Summertime" em seu ouvido.

Quando ela se acalma um pouco, ele fica em pé e segura a cabeça dela pelo cabelo. Jazmín só mexe as mãos, tentando abraçar seu filho. Quer falar, gritar, mas não há sons. Ele levanta a marreta que trouxe da cozinha e bate na testa dela, bem no centro da marca de fogo. Jazmín cai atordoada, desmaiada.

Cecilia se assusta com o golpe e o olha sem entender. Ela grita: "Por quê? Ela podia nos dar mais filhos". Enquanto arrasta o corpo da fêmea até o galpão para abatê-lo, ele responde com uma voz radiante, tão branda que machuca: "Tinha o olhar humano do animal domesticado".

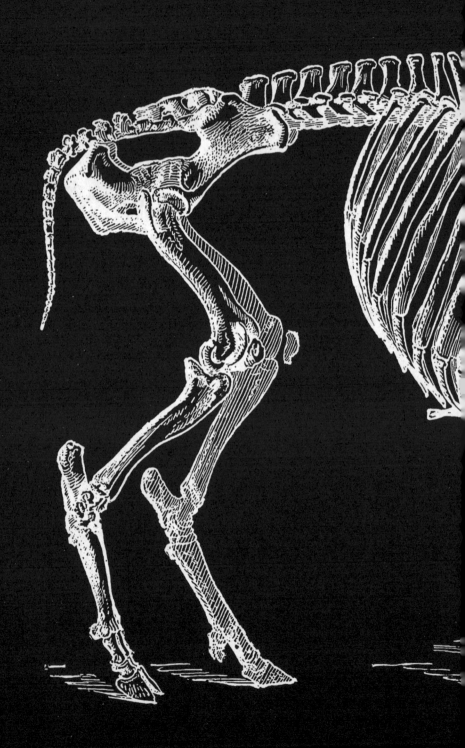

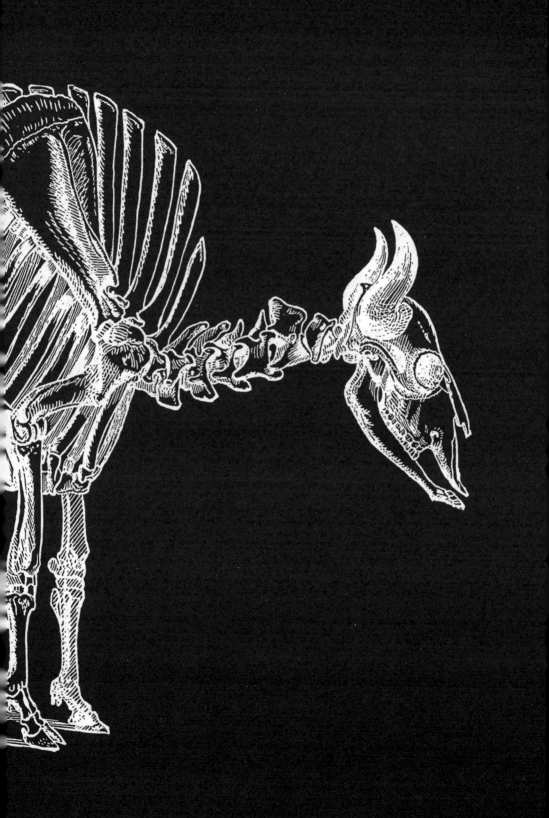

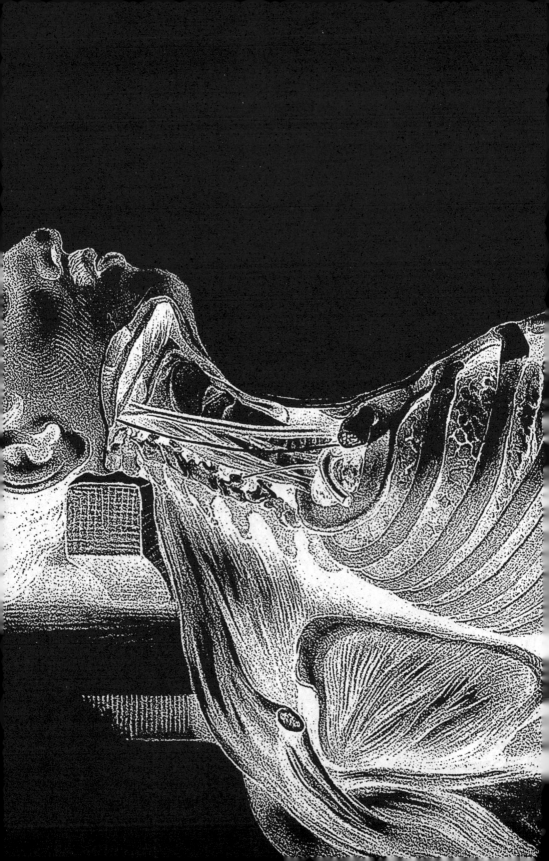

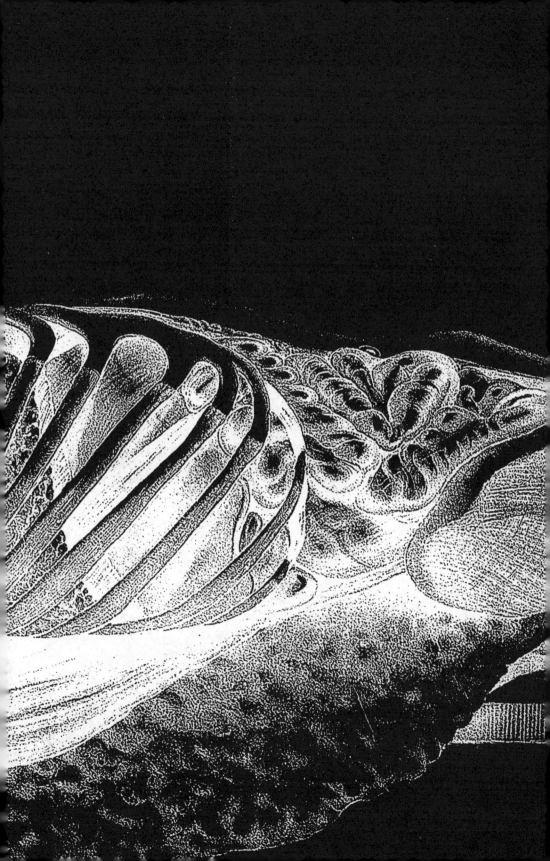

AGRADE
CIMENTOS

A Liliana Díaz Mindurry, Félix Bruzzone, Gabriela Cabezón Cámara, Pilar Bazterrica, Ricardo Uzal García, Camila Bazterrica Uzal, Lucas Bazterrica Uzal, Juan Cruz Bazterrica, Daniela Benítez, Antonia Bazterrica, Gaspar Bazterrica, Fermín Bazterrica, Fernanda Navas, Rita Piacentini, Bemi Fiszbein, Pamela Terlizzi Prina, Alejandra Keller, Laura Lina, Mónica Piazza, Agustina Caride, Valeria Correa Fiz, Mavi Saracho, Nicolás Hochman, Gonzalo Gálvez Romano, Diego Tomasi, Alan Ojeda, Marcos Urdapilleta, Valentino Cappelloni, Juan Otero, Julián Pigna, Alejo Miranda, Bernardita Crespo, Ramiro Altamirano, Vivi Valdés.
    Aos meus pais, Mercedes Jones e Jorge Bazterrica.
    A Mariano Borobio, sempre.

AGUSTINA
BAZTERRICA

AGUSTINA BAZTERRICA nasceu em Buenos Aires em 1974. É formada em Artes (UBA). Em 2013 publicou o romance *Matar a la Niña*, e em 2016 o volume de contos *Antes del encuentro feroz* (reeditado em 2020 como *Diecinueve Garras y un pájaro oscuro*). *Saboroso Cadáver* ganhou o Premio Novela de Clarín de 2017 e o Ladies of Horror Fiction Award como melhor romance de 2020. Bazterrica é organizadora e curadora cultural, trabalhando com Pamela Terlizzi Prina no Ciclo de Arte 'Siga al Conejo Blanco' (www.sigaalconejoblanco.com) e coordena oficinas de leitura com Agustina Caride.

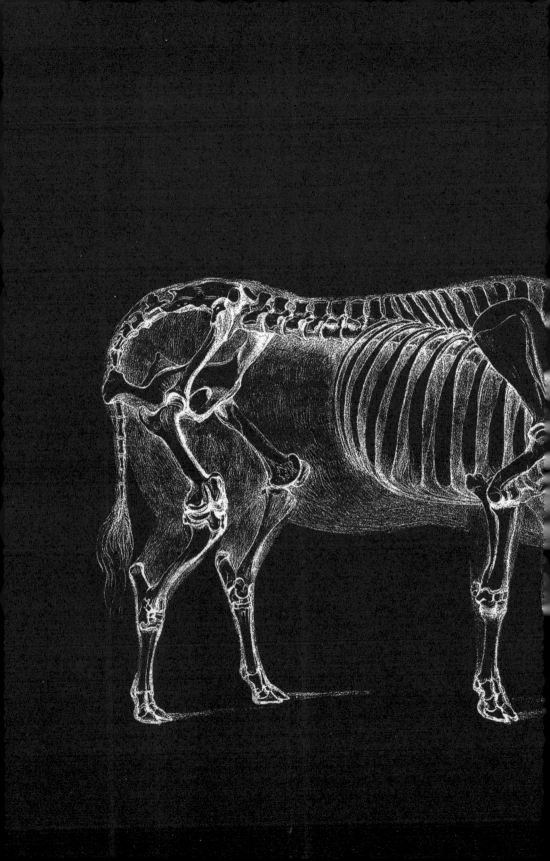

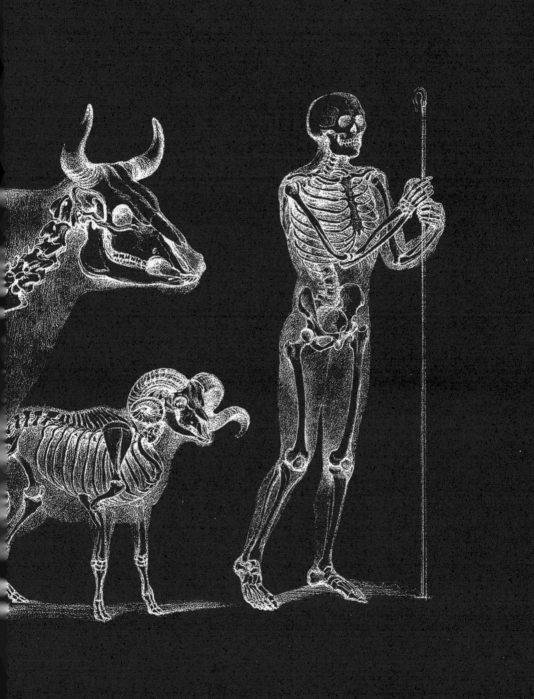

"A crueldade é um presente que
a humanidade deu a si mesma."
— DR. HANNIBAL LECTER —

DARKSIDEBOOKS.COM